포스트잇 붙이고 싶은 인연들

책을 읽을 때마다 매번 기억하고 싶은 문장이나 구절을 발견하곤 한다. 그리고 그럴 때마다 주머니에서 급하게 주섬주섬 핸드폰을 꺼내고 그 부분을 사진을 찍는다. 포스트잇이 있으면 그 페이지에 포스트잇을 붙인다. 그런 행위를 몇백 번, 몇천 번 반복하고 나서 문득 이런 생각이 들었다. 정작 나의 인생에서는 내가 어디에 포스트잇을 붙이고 있을까? 어쩌면 나와 동떨어진 세계에 있거나 그리 가까운 관계에 있지 않은 인물들의 이야기를 읽으면서도 오래 기억하고 싶어서 덕지덕지 포스트잇을 붙이곤 하는데, 정작 내가 매번 마주하는 나의 인연들에게는 내가 과연 포스트잇을 붙이고 있을까. 만나고 대화하는게 어쩌면 당연해지고 익숙해져서 그저 후루룩 지나가고 있는 순간은 없을까.

책에 포스트잇을 붙이는 내 마음은 두 가지다. 첫 번째, 책을 읽던 당시 내 마음을 찌르르 울렸던 그 문장을 일단은 잡아두고 싶다. 그 순간이 지나면 기억나지 않는다고 해도, 책을 읽는 그 당시의 내가 기억하고 싶었던 문장이라는 그 느낌을 간직하고 싶다. 두 번째, 언젠가 그 문장을 다시 볼 것만 같다.

완독한 책을 다시 읽기란 쉽지 않다(적어도 나에게는). 그래도 그 책을 읽을 때 느꼈던 희미하지만 강렬했던 느낌을 다시 받고 싶을 때면, 삐뚤빼뚤 간격도 맞지 않게 붙여져 있는 포스트잇이 붙어있는 책장을 넘기곤 한다. 그리고 생각한다. '그렇지, 그때 이런 생각을 했었지. 다시 보니 그때 내가 무슨 생각으로 이 문장을 마음에 담았는지 알 것만 같아. 역시 그때 좋았던 게 지금도 좋은 걸 보면 나는 한결같네. 붙여놓길 잘했어.' 포스트잇 붙인 그 몇 문장만 보더라도 나는 내가 그 당시에 왜 이 책이 좋았는지, 그 당시의 나는 왜 이 문장이 좋았는지, 그 당시 내가 어떤 상황이었길래 이 책을 읽고 있었는지도 신기하게도 기억이 난다. 책 한 페이지에 그저 붙이는 하나의 스티커가, 그 당시 내 마음에도 그대로 착 붙는 게 틀림없다.

포스트잇을 붙인 책장을 펼쳤을 때처럼, 숨어있다 불쑥 나타나는 인연들이 있다. 책장 밖에서 공기와 내내 맞닿아 있는 부분은 색깔이 바랬을지라도 책장 안에 고이 붙여진 부분은 새것처럼 그 색을 간직하고 있는 포스트잇처럼, 흐르는 시간에 바래져 매일 기억나지는 않더라도 마음속에 고이 남아있는 인연들. 펼치는 순간 또 한 번 마음에 새겨지는 사람들. 이미지는 선명하지 않지만, 그 추억만큼은 선명하게 기억나는 나의 인연들.

그래서 내 인연들에도 붙여보기로 했다, 그 포스트잇을. 고이 남아 있는 그 마음들을 꺼내보고 싶어서. 어느 순간 빛바랜 것 같아도, 펼치면 다시 생생한 나의 인연들을 기억하고 감사하고 싶어서. 순간을 붙잡을 수는 없지만, 그 순간을 다시 돌려볼 수는 있다. 포스트잇 붙이고 싶은 인연들과의 짧고도 긴 순간들을 붙잡고 다시 들여다보고 싶었다. 이 글을 읽는 여러분에게도, 인생의 어느 한 페이지를 넘겨보며 어느 한 포스트잇의 지점에 머무를 수 있는 시간이기를.

서두에 잠깐 언급하자면, 이 책에 나오는 등장인물은 실제 인물의 수와 상관없이 모두 단수로 정의되었으며 특정 등장인물의 이름들은 알파벳 순으로 이어진다(실제 인물의 이름과 관련이 없다). 이 인물이 본인이라고 생각이 들면 자유롭게 그렇게 생각하셔도 된다. 작가를 한 번도 만난 적이 없는 독자라도 본인이라고 생각하셔도 된다. 우리는 흐르던 어느 시간 속에서 같은 시간을 걸어갔을 수도 있고, 그저 스쳐 지나가는 시간 속에서 누군가의 영감이 되었을 수도 있다. 등장인물을 이렇게 설정한 이유는 이 책은 나의 기억을 기반으로 쓰인 책이지만 그 시간은 너와 내가 함께 공유하기 때문이다. 지나온 시간은 나의 시간이기도 하지만 너의 시간이기도 하다. 내가 기억하지 못하는 어느 순간 속에서 당신이 나에게 포스트잇을 붙였을 수도 있다. 그렇기 때문에 진짜 나일수도, 아니면 나였으면 하는 순간 속에서 오롯이 함께 이 인연들을 만났으면 한다. 당신이 포스트잇을 붙이고 싶은 인연들은 누구일지 함께 생각하면서.

하나. 오늘의 일등

인생의 첫 길라잡이가 된 사람이 있느냐고, 있다면 누구냐고 묻는다면, 단연코 말할 수 있는 사람이 있다. 초등학교 1학년 때의 담임선생님이다. 지금까지도 여전히 늘 가장 존경한다는 단어를 붙일 수 있는 나의 은사님이다. 어릴 때 포털사이트 회원가입을 할 때면 아이디, 비밀번호를 차례대로 적고 이메일도 적고 비밀번호를 잊어버렸을 때 찾기 위한 질문이 항상 나왔다(요즘은 아닐 수도 있지만 나 때는 그랬다). 비밀번호를 잊어버렸을 때 찾기 위한 과정이니 그 질문들의 종류는 보통 아주 단순했다. 나의 보물 1호, 내가 살던 고향, 내가 다닌 초등학교 등 비밀번호를 잊어버렸을 때 정답을 곧바로 생각해낼 수 있는 질문들이었는데 나에게도 그런 답이 명쾌한 질문이 있었다. 회원가입 시 내 단골 질문과 그에 걸맞은 대답은 99% 이것이었다.

Q. 가장 존경하는 선생님은 누구인가요?

A. A 선생님

이 질문을 고르고 이 대답을 고민하는 데 1초의 시간도 걸리지 않았다고 자부할 수 있다. 지금 회원가입 시 같은 항목이 있다고 해도 난 이 질문을 고를 것이다. 그 정도로 나에겐 의심의 여지가 없이 자명한 질문이고, 헷갈릴 여지조차 없는 확실한 정답이었다. 8살이 무슨 인생의 길라잡이까지 가늠할 만큼 인생을 많이 살았느냐고 그저 귀엽다고 뭘 모른다고 생각할 수 있지만, 그때 내가 선생님을 보면서 받았던 충격은 아직 생생하다. 그땐 지도가 무엇인지 지도자의 소양이 무엇인지 알지도 못할 때지만, 새 학기가 시작된 지 며칠도 안 되었을 무렵 내 앞에 서 있는 이 아저씨는 나를 올바른 길로 인도해 주는 사람이 분명하다고 느꼈던 것 같다.

갓 초등학교 1학년이 된 나는 학업에 관심이 많은 학생이었다. 눈을 부릅뜨고 수업을 열심히 듣고, 숙제는 더 열심히 하고, 발표도 손들어서 충실히 하고, 매일 나눠주는 우유도 열심히 먹는 그런 뭐든 열심히 하는 학생. 반장 역할에도 충실히 임해서 반 친구들도 통솔하고자 하는 의지가 있는 흔히 말해 모범생이었다. 어느 날은 특정 단어를 10번씩 적는 받아쓰기 숙제 검사를 하는 날이었다. 뭐든 열심히인 학생이 숙제를 안 했을 리가, 당연히 10번씩 적어갔다. 그런데 나는 열심히 적어갈 줄만 알았지 글씨가 개발새발인 건 별로 신경이 안 쓰였던 것 같다. 지렁이가 흘러가듯 모음이 여기저기 날아다니는 내 글씨를 보고 선생님께서 뭐라고 할지는 생각도 안 했고, 그저 내 눈에 읽을 수는 있는 내 글씨와 10번씩 성실하게 적어갔다는 사실만 중요했던 것 같다.

선생님은 그때 과연 뭐라고 하셨을까. 글씨를 이렇게 쓰면 안 된다고 혼을 내셨을까, 아니면 더 예쁘게 쓸 수 있는데 다음엔 더 예쁘게 써오라고 타이르셨을까. 둘 다 아니었다. 그 어떤 것도 말하지 않으셨다. 아무 말도 하지 않으셨다. 선생님은 그저 그 당시 삐뚤빼뚤 날아다니는 글씨가 가득한 바로 옆 장에다가 본인의 바르고도 예쁜 글씨체로 그다음 숙제 단어를 적어주셨다. 그 어떤 잔소리도 없이. 20년이 지난 지금도 아직 그 기억이 난다. 분명 앞 친구들의 숙제검사를 구경하며 개발새발인 내 글씨를 반성하고 있었는데, 그리고 선생님께서 뭐라고 지적할지 조금은 두근두근 초조해하고 있었는데 정말 아무 말도 하지 않으셨다. 아직 그 기억이 선명한 걸 보면 그게 8살인 나에게는 엄청난 충격이었던 게 분명하다. 분명히 "글씨를 예쁘게 써야지"라고 혼냈어도 나는 곧이곧대로 들었을 것이다. 나는 선생님 말씀이라면 곧바르게 들었을 학생이니까. 그런데 전혀 꾸중하지 않았고, 다음 숙제 단어를 적어주시며 숙제 잘해왔다고 다음 숙제도 잘해오라고 하셨다. 그때 그런 생각을 했던 것 같다. 아직 뭘 모르지만 어른은 이런 사람이구나, 선생님은 이런 사람이구나 라는 생각. 8살에게 아직은 낯설고도 어색한 '올바르다'라는 말의 개념을 행동으로 먼저 보여주는 어른.

아직도 그때의 기억이 나의 길라잡이가 되곤 한다. 가르치는 것을 주된 업으로 하는 직업을 가지고 있지는 않지만, 때로 누군가에게 뭔가를 가르쳐주거나 나의 지식을 나누어야 할 때, 때론 누군가를 더 나은 길로 이끌어야 할 때, 그 어떤 말보다 더 나은 나의 행동으로 길을 보여주는 것. 그렇게 해야 한다고 말해준 사람은 아무도 없지만, 그게 어느새 나의 행동의 방향이 되어있었다. 그래서 8살 때의 기억은 9살 때보다, 13살 때보다 더 선명할 때가 많다. 8살의 기억이 지금 흐르는 시간과 가장 반대 방향에 있는 기억이라고 해서 가장 낡고 흐려졌을 것으로 생각하는 것은 오류다. 그 기억은 8살의 흐르던 시간 속 어느 즈음이 아니라 지금의 방향이 되어준 특정할 수 있는 순간이었음을.

한 번 길라잡이는 영원한 길라잡이라서, 8살 인생의 길라잡이는 시간이 지나도 여전히 나의 길을 안내해주며 내 구불구불한 길 앞에 서있다. 앞에 서있는 그 이정표를 그저 지나칠 수 없는 나는 몇 년이 지나서도 선생님께 편지도 썼었더랬다. 14살이 되는 초등학교 졸업 즈음, 6년이 지나도 문득 선생님이 생각나서 막연히 재직중이신 학교를 어찌어찌 알아서 편지를 보내고, 조심스레 답장을 기다리며 답장을 쓸 때 필요한 빈 편지지도 하나 함께 동봉했다. 그리고, 답장이 정말로 왔다. 지금의 나로 잘 크는 데 한 몫 한 여전히 변함없는 그 또박또박한 글씨체로. 빽빽한 글씨로 채워진 그 편지를 나는 종종 이유없이 오래 펼쳐 봤었다. 중학교 3학년 때 신종플루에 걸려 기말고사도 못치고 방에 박혀있던 시절 문득 꺼내봤고, 고등학교 3학년 때 수능 전 마지막 9월 모의고사를 대대적으로 망친 후 눈물을 삼킬 때 펼쳐봤었다. 선생님의 편지에 위로의 말이 적혀있었던 것도 아닌데 그저 펼쳐봤었던 것만 같다. 지금 생각해보면 그저 항상 이정표를 들고 올바른 길 위에 서 있을 것만 같던 선생님의 그 글씨체와 바른 모습이 그저 위로가 되었던게 아닌가 싶다.

그리고 서른 즈음의 지금도 아직도 선생님의 반

듯한 글씨체로 꽉 채워진 편지를 보곤 한다. 특별한 이유는 없다. 가끔 그렇게 펼쳐서 보고싶다. 문득 책장에서 옛날에 읽었던 책을 꺼내서 빛바랜 포스트잇이 붙여진 그 부분만 펼쳐서 어떤 내용인지 어떤 문장인지 보고 싶은 그 마음처럼, 문득 그 기억을 꺼내고 싶다. 지금보다 훨씬 많이 모를 때지만, 지금보다 훨씬 많이 받아들일 준비가 되어있는 그 때가 그립기도 하다. 그 편지만 보면 잠시 틀어졌던 방향이 다시 잡히는 것만 같고, 그 방향을 설정하던 내가 떠오른다. 8살 나름대로 고군분투하던 나를 그 책장 속에서 다시 꺼내고, 30살 나름대로 고군분투하는 지금의 나를 책장 속에 또 집어넣는다.

둘. 사랑 사랑 누가 말했나

나는 사랑과 먼 사람이다. 간접적으로는 모르겠으나, 직접적으로는 일단 그렇다. 사랑에 간접적이고 직접적인 것이 어딨겠느냐마는 이 사실을 옳고 그름 따지듯이 따진다는 것이 이미 나는 사랑과 거리가 멀다는 것을 증명하는 셈이다. 그렇다. 나는 사랑한다는 표현도 연습해야 하고, 습관이 되어야 할 수 있는 그런 사람이다. 그런 나와 달리 나의 친구들은 '사랑'이라는 단어에 전혀 인색하지 않다. 말 그대로 제일 친해 보인다. 전혀 사랑과 어색하지 않다. 내뱉는 말로도, 보이는 행동으로도, 나를 향하는 모습으로도!

모두들 누군가를 넘치게 사랑하고 있다는 것은 너무 잘 알고 있다. 하지만 때로는 어떤 사람들은 너무 사랑하지만 부끄러워서 표현을 못 한다거나, 괜한 자존심에 사랑한다는 표현을 일부러 하지 않는다. 내 얘기는 아니라고 하고 싶지만, 사실 나는 너무나 이러한 부류에 포함된다. 그래서 내가 인생에서 가장 신기해하는 부류 중 하나도, 이러한 '사랑'이라는 단어에 가까운 사람이다. 어떻게 저렇게 사랑한다는 표현을 잘하는 사람이 있을까, 어떻게 저렇게 사랑이 눈에 보일 수 있을까, 그냥 내뱉는 말들이나 자연스러운 행동에서 사랑이 여기저기 묻어 나오는 사람들. 그리고 내 친구들이 그렇다. '사랑'과 덜 친한 나를 위해 꼭 내 주위에 있는 것처럼.

B는 바리바리다. 생일인 나를 위해 꽃을 사고, 만나는 날 먹고 싶은 음식을 물어보고, 각종 파티용품을 챙긴다. 귀찮을 수도 있는 그 모든 것들을 챙겨와서, 근사하게 차려주고 근사하게 사진을 찍어준다. 가장 많이 축하해주고 싶다며 정성스레 편지를 쓰고 제일 축하하고 사랑한다며 애정표현을 서슴지 않는다. 근데, 어쩌다 한 번이 아니라 매년 이렇다. 매년 내 생일을 신경 쓴다. 나뿐만 아니라 본인이 사랑하고 챙겨주고 싶은 이들을 알뜰살뜰 챙기는 모습을 볼 때면, 사랑이 보인다. 내가 아무리 마음으로 보여주고, 편지로 쓴다고 해도 다 보이지 않을 것 같은 사랑들이 눈으로 보인다. 그리고 나도 그런 B의 반만큼이라도 사랑을 보여주고 싶다.

C는 나의 보호자인 것 같기도 하고 울보인 것 같기도 하다. 실제로 나는 어떤 일이 있어도 진짜 씩씩하기도 하고, 때로는 씩씩해 보이려고 할 때도 있는데 그럴 때마다 C는 나 대신 눈시울을 붉혀준다.

내가 담담하게 받아들이는 나의 경험까지도 C는 대신 분노하고 대신 울어준다. 나에게 좋은 일이 있으면 나보다 더 기뻐한다. C는 부모님도 오지 않은 나의 모든 보금자리에 방문했다. 변변치 않은 내 보금자리에 초대할 만큼 C에겐 거리낄 것도, 숨길 것도 없이 내가 나 그대로가 되는 그런 사랑이 느껴진다. C에겐 그냥 그냥 사랑이 그대로 느껴진다. C가 나를 보는 눈빛에서도 그 사랑이 느껴진다. 그래서 C에겐 더 미안하기도 하고 형용할 수 없는 나의 마음을 많이 느낀다.

D는 거침이 없다. 어릴 때부터 친해지고 싶어하는 친구에게 스스럼없이 말을 걸고, 부탁을 했다(일면식도 없는 나에게 D는 중간고사 3일 전 시험 범위에 있는 과학 과목을 요약해서 가르쳐달라고 했었다). 요즘 MBTI로 표현하자면 I(내향형)인 나는 거절하는 것도 잘 못하고, 거절하는 것을 통해 상황이 어색해지는 것이 싫으니 그 부탁을 그저 들어주곤 했었다. 또한, D는 각기 다른 애칭으로 친구들을 부르곤 했다. 모든 친구가 "야"로 통일되는 나에겐 그야말로 문화충격일 정도로 놀라웠는데, 그런 거침없는 애정이 서서히 나에게도 묻어나왔다. 애정을 표현하는 데 스스럼이 없고, 부끄럼도 없는 D가 그

저 타인의 눈에 얼마나 사랑스럽게 보일까 생각한다.

E는 나를 진짜 많이 사랑하는 것 같다. 어쩌다 메시지에 읽고 답장을 하지 않으면 "——" 눈 찢는 메시지가 와있다. 본인이 내 메시지에 읽고 답장하지 않아도, 너는 왜 읽고 답장하지 않는 나에게 집착하지 않냐며 또 눈을 찢는 메시지를 보낸다. 그럴 때면 그런 E가 웃기고도 귀여워서 없는 애교를 쥐어짜내 용서를 구한다. E는 나에게 많은 고민을 털어놓는데, 그가 털어놓는 고민을 보면 나를 얼마나 사랑하는지 알 수 있다. 시시콜콜한 본인의 일상, 본인이 가장 많이 하는 생각들, 일상 속에서의 단순한 궁금증을 들을 때면 E의 일거수일투족이 나에게 흡수된다. 사랑하면 본인을 더 많이 보여주고 싶은 것처럼 E는 나에게 정말 많은 부분을 쏟아내고 또 때론 기댄다. 누군가에게 기대고 마음을 한가득 쏟아내는 것이 부족한 나는 E를 더 자주 보고 싶다.

기숙사에서, 또 하숙집 옆 방에서 동고동락하며 살았던 내 십년지기 F는 속속들이 내 일거수일투족을 말하고 행동하지 않아도 나를 알고 있다. 그 당시 밥 먹고 술 먹고 공부하고 그저 놀던 게 다이던 시절에 그 모든 걸 다 같이 했다. 옆 방에 살면서 함께 아침을 먹고 수업을 듣고 함께 공부하고 함께 놀고 귀가했다. 일분일초 같이 있진 않아도 매시간 속에 F는 늘 있는 식이었다. 그 시절을 보내서 그런지, 그저 각자의 일상을 살아내는 지금도 꼭 옆에 있는 기분이 든다. 오히려 일거수일투족을 말하지 않아도 그저 언제든 옆에 있을 것만 같다. 그래서 전처럼 많은 시간을 함께하지 않아도 그저 존재 자체로 위안이 된다. 그리고 우리는 이 사실을 어쩌면 10년 전에 알았을지도 모른다. 서로가 존재 자체로 위안이 된다는 사실 말이다.

회사는 회사일 뿐이라는 사무적이고도 딱딱한 공간에서 G를 만났다. 그리고 그 사실은 지금도 아주 큰 행운이다. 회사 가방에 네잎클로버 키링을 달고 매일 출근하는 것만 같다(실제로 나는 이 키링을 달고 다니긴 한다). 회사는 사실 지루하고도 반복적이며 매일매일의 낙을 찾기 어려운 공간이다. 사실상 하루의 1/3이라는 시간을 보내는 만큼 알차게 써야 하는 시간이어야 하는데도 그러기 어렵다. 그래서 매일 먹는 점심이라도 조금이라도 특별하기를 원하고, 잠깐이라도 웃을 일이 생길 것 같은 조짐이 보이면 냅다 뛰어들어 웃어 버린다. 그래서 G는 그런 나에게 한 줄기 빛이다. 근무 시간 소소한 수다는 남은 시간 일할 수 있는 에너지를 준다. 회사 가방에 달린 키링이 퇴근한다고 그 효용성을 잃어 빼고 다니는 것이 아니듯이, G도 그저 회사에 두고 오지 않는다. 키링처럼 나와 함께 한다. 때로는 지치는 우리의 일과를 마치고 함께 밥을 먹기도 하고 때로는 긴 휴가를 떠나기도 한다. 그렇게 늘 같이 있다. 그만큼 허허벌판에서 네잎클로버의 각각 한 잎이 되어주는 G를 만난 건 행운이다. 키링 절대 안 빼고 다녀야지.

그런 사랑 많은 친구들 곁에서 매시간을 보내서 그런지 직접적인 표현은 부끄러워해도, 그 사랑에 감사하고 또 다른 방식으로라도 돌려주고 싶어하는 사람으로 자랐다. 이 책도 사실 사랑을 돌려주는 방식 중 하나이다. 메모장에 있는 그대로의 내 마음을 쏟아내고, 고심하고 고민하여 다듬고, 세상에 내어져 불특정 다수에게 읽힐 글이니 그들에게 조심스레 내어져도 괜찮을지도 검토하고, 무엇보다 어딘가에 가서 닿을 내 마음을 아낌없이 보여줄 수 있는 가장 좋은 매개체. 내 포스트잇이 그들에게 어느 힘든 순간 문득 떠오를 수 있는 사랑이라면 그것으로 이 책의 가치는 충분하다는 생각을 한다.

셋. 건설적인 대화를 하고 싶어

"건설적인 대화를 하고 싶어" 라는 말을 한 번쯤은 들은 적이 있을 것이다(상대가 나에게 하는 말은 아니더라도 말이다). 그리고 그 말에 대하여 문득 곱씹어봤을 땐 어떤 대화가 건설적으로 느껴지는지 궁금했다. 대화 주제가 중요한 것인지, 대화 상대가 중요한 것인지, 그것도 아니면 특정 대화 상대와 나누는 대화 주제 모두가 중요한 것인지. 지금도 사실 건설적인 대화는 어떤 것이라 명확히 정의하기는 어렵지만, H와 나누는 대화가 나에게 건설적인 대화의 추상적인 정의가 되었다.

본인의 직업에 대해서 이렇게 치열하게 고민하는 사람을 처음 보았다. 그리고 그 일에 대한 피드백을 또 치열하게 듣고 고민하는 사람도 처음 보았다. H의 직업이 현재 PD여서 그럴 수도 있다. 콘텐츠 소재를 생각해내고, 그 소재를 바탕으로 영상을 기획하고, 촬영하고 편집하고 한 편의 콘텐츠가 만들어지는 모든 과정에 참여해야 하니 치열하게 고민하지 않을 도리가 없을 수도 있다. 온종일 생각한다고 원하는 아이디어가 나오지 않을 수 있지만, 그래도 그는 온종일 생각하고 결과물을 만들어내는 것에 보람을 느낀다. 때론 원하는 결과가 나오지 않아서 자아가 흔들리는 모습도 보인다. 하지만 그런 모습조차 나에겐 너무 건설적이다. 그런 모습을 내어주는 그 대화가 건설적이다. 그리고 그 대화를 하는 나누는 나조차도 건설적인 사람이 된 것만 같다.

H와 달리 나는 직업에서 자아를 찾는 사람은 아니다. 그렇다고 업무태만인 사람은 아니지만 그래도 자아를 찾는 사람은 단연코 아니다. 하던 업무는 그저 익숙한 루틴이 되었고, 그 업무에서 발생하는 이슈는 여전히 새롭지만 그만큼 생각하면 머리카락이 빠질 것만 같고 인상이 찌푸려진다. 새롭게 주어진 업무가 있다면 꽤 재미를 느끼며 열심히 배우고 습득하지만 그건 업무 시간에 해당하는 일이다. 말 그대로, 나에게 "일"은 "일"이다. 물론 나에게도 퇴근 후나 주말에 업무 생각을 하며 고민하던 시절도 있었다. 내내 고민하고 뭐가 잘못된 걸까 고민해본 적도 있지만 몇 달 가지 않았던 것 같다. 오히려 그런 과정이 있었기에 지금의 내가 된 것 같기도 한데, 나는 일과 자아를 분리한다. 내가 최고의 성과를 내고 싶은 곳은 직장 밖에 있다. 내가 당장 이루고 싶은 목표는 퇴근 후에 있다. 최고의 뿌듯함을 느끼는 순간도 물론이다. 지금 이렇게 퇴근하고 회사 근처

에서 노트북 자판을 두드리며 이 글을 쓰는 것만 봐도 답이 나오리라 생각한다. 그리고 H에겐 그런 내가 건설적으로 보인다. 퇴근하고 뚜닥뚜닥 뭔가를 해서 번갯불에 콩 구워 먹듯 어떠한 성과를 내고, 그게 그리 대단하지 않더라도 만족해하는 나를 보면서 반대로 신기함을 느낀다고 한다.

일상에서 가장 큰 시간을 차지하는 공간에서의 지향점이 너무 다른 만큼, H를 보면 이런 생각이 들었던 적도 있다. 삶의 목표에 정답은 없지만 방향은 있는 만큼, 저 삶이 올바른 방향이고 저 삶을 살지 않는 현재의 나는 다른 방향을 가고 있으니 내 방향이 어긋난 것은 아닐까. 나의 업무가 나에게 최적화된 업무가 아니라 치열하게 생각하지 않는 것이 아닐까. 이런 근본적인 의문에서 시작해서 이직 생각, 업무 고민 등 현실적인 생각들로 이어지기도 했다. 그렇지만 나에겐 여전히 '일'은 '일'이다. 나에게 오늘 이 업무를 어떻게 해결할지 생각하는 고민은 퇴근 전까지만 유효하다. 퇴근하는 순간까지는 업무에 사람에 이리저리 치이고 기운이 빠질 수는 있지만, 이후엔 퇴근 후 나에게 주어진 시간에 무엇을 할지 생각하며 들뜨곤 한다. 그리고 퇴근 이후의 시간, 출근 이전의 시간을 더욱 알차게 쓰면 업무 시간이 조금 더 건설적이게 느껴지는 느낌적인 느낌도 든다. 물론 아침에 더 일어나기 힘든 걸 보면 느낌만일 수도 있다. 하지만 H는 업무 시간 외의 시간도, 꽤 많은 시간을 그럴 수도 고민하는 데 할애한다. 대화할 때도 이야기 주제가 시시각각 바뀐다. 일상 얘기를 하다가, 나를 하나의 구독자로 생각하고 다음 콘텐츠 주제에 대해 물어보고, 내 얘기를 듣다가도 갑자기 어떤 뉴스를 본 적 있느냐고 묻는데 결국엔 그 뉴스가 또 콘텐츠 주제가 될 만한 것인지에 대해 갑자기 고민한다. 그럴 때마다 얼마나 이게 신경 쓰이는 일인가 싶어서 성심성의껏 대답해 주려 하는데, 그런 고민을 성심성의껏 하는 H가 대단하다. 일이 곧 일상 대부분을 차지하는 삶이 상상이 잘 안 된다.

일을 대하는 자세가 서로 너무 다르지만, 이 대화가 건설적일 수 있는 이유는 단 하나다. 날 것 그대로다. 서로 너무 다르니 너는 나를 완전히 이해하지 못할 것이라고 생각해서 대충 간추려서 이야기하는 것이 아니라, 다르니까 그 다른 관점에서의 나를 봐줄 수 있으니 느끼는 그대로, 고민하는 그대로를 이야기하는 것이다. 치열했던 순간, 때로는 부끄러웠던 순간들을 공유하고 그걸 각자의 관점에서 함께 고민해준다. 일하는 분야가 다르니 오히려 제3자의 시각에서 볼 수 있다. 고민을 공유하는 당사자도, 고민을 들어주는 당사자도 모두 날 것이다. 날 것 그대로를 마주하는 순간은 사실 일상에서 얼마 되지 않는다. 직장인이 된다는 것은 수면 시간을 제외한 대부분 시간을 직장에서 보내고, 직장에서 속하는 집단에서 사고하고 행동한다는 뜻이다. 그 말은, 즉 내 날 것의 모습 그대로 하루를 마주하는 시간은 고작 퇴근 후 자기 전 그 몇 시간뿐이다. 하지만 우리는 그런 날 것의 모습을 서로에게 보여준다.

서로의 치열했던 순간들이 떠오른다. H가 탑을 쌓아올릴 때마다, 옆에서 하나씩 간섭하고 참견했던 내 모습도 함께 떠오른다. 이건 이 방향으로 쌓아야지, 저건 저 위치에 둬야지 하며 어쩌면 훈수 두던 순간들. 그리고 그때 난 무엇을 고민하고 있었는지 함께 고민하던 순간들. 우리는 어쩌면 서로의 일에 무지했기 때문에 편견 없이 날 것 그대로 받아들이는 것이 가능했을지도 모른다. 그 어떤 배경지식 없이 서로의 말을 그저 진실로 생각하고 차곡차곡 쌓아나갔기에 건설적이라 부를 수 있는 관계가 되었다. 이 관계를 건설적이라고 칭한다고 해서, 우리가 만날 때마다 카페에 앉아서 세 시간 내내 서로의 자아에 관한 탐구를 하고 서로의 자아 성찰에 관한 토론을 나누고 피드백을 주는 대화만 주야장천 나누는 것은 아니다. 서로의 연애, 서로의 우정, 시시콜콜하게 느껴지는 이야기를 나누는 나날들도 많지만 그럼에도 우리는 꽤 많이 솔직하다. 날 것이다. 그래서 건설적이다. 원래 건설적인 것은, 아무것도 없는 기초부터 다지는 것이고 그 위에 눈에 보이는 것들로 차곡차곡 쌓아나가는 것이니까. 그래서 단단하다. 단단하고 딴딴하다. 그래서 어느 순간 깊어져 있다. 이미 단단한 걸 알고 있기 때문에, 가벼울까에 대해 의심하지 않기 때문에, 어느 순간 스며들어 있다. 책의 어느 포인트가 내 마음에 쏙 드는 데 있어서 엄청난 마음의 울림이 필요하지 않은 것처럼, 이미 단단해지면서 스며들어 있었다.

그렇게 건설적인 대화를 나눌 상대가 지척에 있다는 것, 고민 그대로, 날 것 그대로를 보여주는 사람이 인생에 한 명쯤 있다는 것은 꽤 좋은 일이다.

넷. 가깝고도 먼, 멀고도 가까운 사이

일본을 가깝고도 먼 나라라고 많이들 이야기한다. 이 크나큰 지구촌에서 물리적으로는 터무니없이 가깝지만, 심리적으로는 그리 가까워질 수 없는 그런 모순적인 사이. 그런 모순적인 사이는 아니지만, 나에게도 그런 가깝고도 먼 사이에 있는 친구가 한 명 있다. 몇 년 몇십 년 연락하지 않고 어쩌면 영영 보지 않아도 이상하지 않을 만큼 멀지만, 보게 된다면 누구보다도 가깝고도 반갑게 맞이해줄 수 있는 사람. 함께 했던 기억만으로 나를 웃게 하는 친구, 호주에서 교환학생으로 지내던 시절 만났던 일본인 I이다. 어쩌면 또 볼 수 있을지 없을지도 모르지만, 나에겐 그저 그를 생각하는 것만으로도 너무 재미있는 친구다. 낯설지만 친숙하고, 정말 뜬금없는 순간에 몇십 년 만에 연락이 온다 하더라도 물음표가 아니라 느낌표로 받아줄 수 있는 친구.

우리는 2015년 호주 캔버라에서 함께 교환학생 시절을 보냈다. 우연히 같은 수업 옆자리에 앉았는데, 지금은 그립지만 그 당시엔 특이했던 웃음소리를 내며 자기는 이 수업을 하나도 알아듣지 못한다고 호탕하게 웃었던 것이 우리의 첫 만남이었다. 낯을 가리는 나는 그 모습이 어색하긴 했지만 웃긴 건 또 웃겨서 그저 허허 맞장구를 치며 수업을 들었더랬다. 그런데 두 번째 만남이 더 기억에 남는 건 그때 호탕하게 했던 이야기가 우리 사이의 조금 있던 벽을 더 허물어서겠지. 같이 듣는 수업이 끝난 후, 여느 때와 같이 무슨 말인지 알아들을 수 없다며 우리는 낙제할지도 모른다는 실없는 소리를 하며 대화를 나누고 있었다. I는 5시간의 길고도 긴 공강 시간 후 저녁 수업이 또 있다고 했는데, 그런 긴 시간임에도 기숙사에 가지 않는다고 했다. 당시의 나는 틈만 나면 기숙사에 가서 자거나 기숙사 부엌에 가서 간식을 먹던 사람이라 I가 이해되지 않았다. 그래서 교환학생인데도 공부를 열심히 하는 친구라고 판단하고 고개를 끄덕이며 대단하다고 생각하고 있었는데, 돌아온 대답은 상상을 깨는 그 이상이었다.

“낮에 방에 가면 잘 수가 없어. 옆 방에서 매번 사랑을 나누는 소리가 다 들리거든. 난 심지어 그 애 방에 맨날 오는 남자친구 이름도 외우겠어, 으하하”

그 때 나와 내 친구는 그야말로 잠시 일시정지 상태가 되었었다. 무슨 반응을 해야 할지 몰라 어벙

하게 눈을 끔벅임과 동시에 엄청나게 웃었던 기억이 난다. 정말로 그 사실에 놀랐던 동시에, 그 얘기를 오늘 먹은 점심 메뉴 말하듯이 말하던 쿨한 모습이 그 친구의 성격을 짐작게 했던 것이다. 본인에게 일어난 어떤 일이든 특유의 웃음소리로 쿨하게 넘길 것만 같던 그 모습. 그리고 우리는 친구가 되었다. 그것도 꽤 친한 친구. I는 내가 가지고 있던 일본인의 성격은 이럴 것이라는 편견을 깨주기도 했는데, 무척 쿨했다. 조심스럽고 조용한 모습은 찾아볼 수 없지만, 또 상대방에 대한 배려심은 넘치고, 그렇지만 누구보다 쿨해서 본인에게 일어난 일은 그게 무엇이든 그저 신경 쓰지 않았다. I에게 어떤 일이 생겨서 어떡하느냐며 주변에서 발을 동동 굴러도 I은 그저 “hahaha I don’t know. Just don’t care”라며 본인의 일이 아닌 것처럼 또 그저 허허실실 웃으며 남들을 더 안심시키곤 했다.

I의 이런 쿨한 성격은 여행에서도 드러났다. I는 나의 뉴질랜드 여행에도 함께했는데, I의 동행은 지금 생각해도 찡하고 감동일 수밖에 없다. 2015년 당시 뉴질랜드는 렌터카 없이 그저 뚜벅이가 버스 타고 여행하기엔 교통편이 좋지 못했다. 버스도 별로 없고, 지하철도 없고, 당장 한국 입국 전 급하게 계

획한 여행이라 여행 계획을 짤 시간도 없었다. 그래서 당시 교환학생 시절을 함께 보내던 우리 한국인 세 명은 패키지여행을 선택했다. 한국어 가이드가 진행하는 패키지여행. 그런데 그 여행을 I는 함께 가겠다고 했다. 한국어를 말하지도 듣지도 못하는 I가 이런 결정을 내린 데는 오직 단 하나의 이유, 우리와의 마지막 여행이기 때문이었다. 내가 누군가와 몇 개월 친하게 지냈다고 해서 알아듣지도 못하고, 음식도 입에 안 맞는 그 여행을 선뜻 함께 가겠다고 결정할 수 있었을까? 주변에서 설득했다고 해도 어려웠을 것이 분명하다. 하지만 I는 선뜻 가겠다고 했고 여행의 모든 일정에서 웃음을 잃지 않았다. 말이 안 된다. 지금 생각해봐도 이건 너무 어려운 일이고 너무 대단한 일이다. 그래서 더 낯설지만 가까웠던 것 같다. 흔히 찾아볼 수 없는 그 배려에서 조금은 낯설었고, 그 배려에서 느껴지는 I의 마음에서 더 많이 가까워졌다. 그래서 그랬을까, 뉴질랜드 공항에서 나는 한국으로, I는 호주로 돌아가는 그 마지막 공항에서의 만남에서 눈시울이 붉어졌었다. 눈물을 퐁퐁 흘리기엔 꽤 많이 쿨한 I가 왜 우냐며 쿨하게 웃음을 터뜨릴 것만 같아 괜히 멋쩍었고, 그렇다고 흐르는 눈물을 참기엔 나는 I를 무척 좋아했고 너무 많이 아쉬웠다. 언제 다시 볼 수 있을지 모르는 그 마지막 만남에서, 그간 함께 했던 4개월간의 추억이 퐁퐁 샘솟았던 것이다.

그런 I와의 마지막 이별 후, 우리는 그저 서로 잘 지내느냐는 안부 인사도 별도로 하지 않았었다. 핑계라고 한다면 우리는 정말 각자의 일상에 돌아간 것이고 그 일상에 다시 적응하느라 새로 안부를 전할 겨를이 없었던 것이다. 그런데 I가 한국에 왔다. 뉴질랜드에서의 만남을 마지막으로 근 1년 만이었다. 그리고 I를 그리워하고 보고 싶어하는 마음은 다 똑같았는지 그저 시간이 되냐는 물음에 I를 마주하러 뉴질랜드 여행을 함께 갔던 우리가 모두 모였다. 한국에 함께 있어도 그저 SNS로 서로의 안부를 알음알음 알곤 하던 우리가, 특정한 날짜를 정해 시간 내서 보지 않았던 우리가, I를 보러 아니면 I를 핑계로 그 추억을 다시 회상하러 모였다. 그리고 그간 1년의 공백이 무색하게도 I는 여전히 쿨하고 그 웃음소리는 여전히 유쾌했다.

우리가 서로 마주하지 않은지 꽤 오랜 세월이 흐르는 중이지만, 그래도 그 공백이 무색할 것이라는 확신이 있다. 너무나 반가울 것이라는 확신은 말할 것도 없다. 길고 긴 인생에서 딱 4개월 함께 했다고 이런 확신이 드는 나에게 낯선 마음이 들면서도, I만 생각하면 여전히 친근하고 가깝다. 반대로 이렇게 영영 보지 못할 수도 있겠다는 확신도 든다. 그렇지만 그래도 당장에라도 보고 싶은 마음이 크다. 낯섦보다는 그렇게 가까움에 다가가는 중인가보다.

다섯. 아메리카노와 라떼,
그리고 혜화동 사장님

지금 회사원인 나의 궁극적인 꿈은 커피를 파는 서점 주인이 되는 것이다. 시기는 한 40대 초반으로 생각하고 있고, 그 전에 책을 5권 정도는 내고 싶다. 서점 자체는 나무껍질 색깔의 딱 한 톤으로만 이루어졌으면 하지만, 계절별로 다른 알록달록한 꽃을 심을 수 있는 화단이 출입문 옆에 작게 있었으면 하고, 다녀간 손님들의 손때가 묻어있어 나무색이 약간은 바랜 할아버지의 목공방 같은 느낌이면 좋겠다. 커피는 사장인 내가 직접 내리고, 내가 직접 큐레이팅한 책들이 한쪽에 진열되어있다. 이 가게 내부에서 알록달록한 것은 오직 책들, 그리고 과일차밖에 없다.

아직 오지도 않은 미래를 이토록 구체적으로 상상할 수 있는 이유는 혜화동 사장님 때문이다. 혜화동 카페를 운영하며 직접 글도 쓰고 그림도 그리고 때로 커피도 내리던 사장님이 눈에 아른거리기 때문인데, 사장님은 미래에 뭐가 되어있을지 몰랐던 22살의 나에게 은은한 자극이었다. 그 당시엔 책을 지금처럼 좋아하고 많이 읽지도 않았지만, 그래도 언젠가 책을 쓴다면 사장님께 꼭 가져다 드리고 싶었던 생각이 내내 들었던 걸 보면, 사장님은 나에게 그런 존재였나 보다. 정이라고 부르기엔 조금 더 컸고, 애정이라 부르기엔 조금 멋쩍은 그런 사랑과 정 사이에서 마음을 나눈 사이. 그 마음이 은은하게 차곡차곡 쌓였던 인연. 가서 긴말 하지도 않고 그저 머쓱하지만 수줍은 미소와 함께 책을 건네 드리고 싶었다. 그리고 표정없는 까만 눈동자로 나와 책을 번갈아 보며, 낮은 톤의 은은한 목소리로 "네가 쓴 거야?"라는 말을 듣고 싶었다. 지금은 들을 수 없어서 더 듣고 싶은 것일까.

사장님은 22살의 나에게 아메리카노와 라떼의 맛을 알려준 은인과도 같은 분이다. 지금까지도 커피 맛을 몰랐다면 일상의 소소한 재미 하나를 잃은 것과 다름없을 텐데, 그 맛을 알아서 정말 너무나 다행이니까. 씁쓸함과 고소함이 느껴지는 맛을 상상하며 둘 중 무엇을 먹을지 고민하는 것도 어느새 일상에서 빠질 수 없는 소소한 행복이 되었다.

사장님은 그 자체로 나에게 아메리카노 같기도 라떼 같기도 한 분이셨는데, 아메리카노 맛을 모르던 그 시절에 처음 먹은 아메리카노는 사장님 첫인상 그 자체였다. 미간을 찌푸리게 하는 쓴맛 그 자체. 휴학하고 뭐든 경험해보고 싶던 그 시절, 혜화동 골목에 있는 빼빼로같이 생긴 카페에서 아르바이트를 시작했다. 기술이 없던 초짜라 시작부터 커피를 만들지는 못했고 청소부터 시작했었다. 그때 사장님은 무서웠다. 웃지도 않으시고 시종일관 무표정에 "그래" "아니" "그거 아닌데" "뭐 마실래" 이 네 마디 말고는 듣지 못했던 것 같다. 그런 사장님이 어려워서 "뭐 마실래" 하면 매번 제일 만들기 쉬운, 샷만 내리면 되는 아이스 아메리카노를 말했었다. 그렇게 아이스 아메리카노를 인생에서 처음 마셔봤던 것이다. 친구들이 그 전에 그렇게 한 번만 마셔보라고 권했을 때도 지조 있고 강단 있고 고집 있게 민트초코만 마셔댔었는데 그런 나를 바꾸시다니.. 아주 쓰고 맛이 없었는데 그 또한 표현하지는 못했다. 그리고 그 다음 날도, 다음다음 날도 반복이었다.

" 뭐 마실래? "

" 아이스 아메리카노 먹겠습니다!"

" 뭐 마실래?"

" 아이스 아메리카노요!"

" 뭐 마실래?"

"아아 먹겠습니다"

그렇게 아이스 아메리카노에 스며들었다. 그리고 그런 사장님에게도 스며들었다. 사장님은 처음엔 누구에게나 쓸 수 있지만, 한 번 맛을 알게 되면 계속 찾을 수밖에 없는 정 많은 츤데레였다. 그리고 그렇게 청소만 하던 나는 부엌에 입성했다(물론 청소도 함께했다). 샷을 내리고, 수제 청을 만들고, 한쪽에 만들고, 티를 만든다. 때로 칵테일도 만든다. 내가 만든 음료가 손님에게 서빙되는 순간, 평소 학교 공부를 할 때 느끼지 못했던 다른 종류의 책임감 또한 느껴졌던 기억이 난다. 그렇게 그 빼빼로같이 생긴 카페에 더 정이 갔다.

그렇게 라떼에도 스며들었다. 당시 나에게 라떼는 이도 저도 아닌 맛이었다. 물론 아직 라떼의 맛을 모르는 분들이라면 이 말에 공감할 것이다. 달지도 않고 쓰지도 않고, 애매한 맛. 그렇지만 내가 라떼의 맛을 알게 된 순간이, 진짜 카페 일을 더 사랑하게 된 순간이 아닐까 싶다. 라떼도 사장님 덕분에 먹게 되었는데, 어느새 나에게 스며들어버린 사장님은 사장님의 딸,아들의 수학 과외까지 맡기셨다. 워

낙 가게를 많이 왔다갔다하며 아이들 얼굴은 많이 보았지만 가르치는 건 처음이라 꽤 긴장했었는데, 그럴 때마다 가져다주셨던 것이 라떼였다. 그것도 따뜻한 라떼. 매번 사장님이 카페 부엌 밖의 사장님 전용 의자에 앉아서 글을 쓰거나 그림을 그릴 때마다, 한 잔 만들어 달라고 했던 그 따뜻한 라떼. 사장님용으로만 만들어보았고, 그전까진 나를 위해 먹어본 적도 없는 그 라떼. 사장님의 최애 커피, 그 라떼를 나에게 직접 만들어서 가져다주시던 순간이 아직도 기억이 난다. 그렇게 처음에 아이스 아메리카노 같이 쓰던 분이, 그렇게 거리 두던 분이 마음을 정말 화알짝 열었던 순간이 그때가 아니었을까. 나는 그렇게 생각한다.

　지금도 아르바이트하던 그 순간들과 사장님과 길지 않게 나누던 대화들이 생각난다. 말이 분명 없으신 편이었지만 나에게 꼭 하고 싶은 말이 있을 때면 부엌에 들어와 물걸레로 바닥을 스윽 스윽 닦으며 은근히 말을 건네던 순간들. 우리 아들은 잘생기진 않았지만, 아이돌이었다면 덕후몰이상, 씹덕상이었을거라며 은은한 미소를 짓고, 자기는 대학생 때 신해철을 무척 좋아했다며 잔잔하게 노래를 부르기도 하고, 자기 남편은 자기보다 키가 작은 건 사실이지만 당시엔 많이 좋아했다며 소소한 책장 넘기듯 말씀하시는 그 순간들이 켜켜이 쌓여있다. 그래서 언젠가 내가 글을 쓰고, 그림을 그리고, 사장님이 좋아하시던 그 활동들을 내가 하는 순간이 올지는 모르겠지만, 혹시 온다면 꼭 보여 드리고 싶다는 생각을 했었던 것이다. 나도 물걸레로 바닥을 쓱싹쓱싹(나는 아르바이트생이니까 스윽스윽이 아니라 더 열심히 물걸레질해야 한다). 닦으며 수줍게 건네고 싶었다. 그렇게 건네는 순간까지도 상상했었다.

혜화동의 그 카페엔 추억이 켜켜이 쌓여있다. 나의 추억에 사장님의 기억이 얹히고, 다른 아르바이트생의 노고가 진하게 묻고, 다녀간 수많은 손님의 이야기가 겹겹이 쌓인다. 휴짓조각에 적어놓은 어떤 메모는 글씨가 다 바래기도 하고, 언젠가 오더라도 그 자리에 남아있었으면 좋겠다는 마음으로 사진첩에 고이 접어 넣은 그림이 다른 사람의 추억으로 한 겹 더 칠해지기도 한다. 그렇게 그 오래된 건물은 그 기억들로 매년 덧입혀지고 또 덧입혀질 것이다. 오래도록. 그리고 꼭 그랬으면 좋겠다.

여섯. 오늘의 퀘스트

우리는 만날 때마다 퀘스트를 깬다. J는 나에게 퀘스트를 주고, 때론 그 퀘스트에 동행해주고 때론 그 퀘스트를 완수할 수 있도록 힌트를 준다. 나는(또는 우리는) 그 퀘스트를 결국에 깨고 그 성취감인 즐거움 혹은 특별함이 상으로 주어진다. 함께하는 순간이 퀘스트를 깨는 것만 같이 매번 새로운 에피소드로 탈바꿈되는 만남. 나에게 퀘스트를 주고 퀘스트를 깨기 위한 영감을 주는 사람, J이다.

그저 지나칠 수 있는 찰나의 순간을 의미 있는 하나의 에피소드로 만드는 J의 능력은 가히 놀랍고 신기하다. 나도 그저 지나칠 수 있는 나의 순간을 잡아주고, 그 시절 우리를 기억해서 먼 훗날 몽글몽글 떠올리게 하는 J의 능력은 나에게 아주 큰 영감이 된다. 난 J를 볼 때면 매번 신기하다. 첫째, 너무 똑똑해서. 둘째, 너무 잘 놀아서. 셋째, 너무 글을 잘 써서. 가끔 다른 출력 장치가 있을 것 같다는 생각도 한다. 똑같은 입력이 들어가는데 출력 장치가 도대체 어떻길래 같은 경험을 해도 저렇게 다른 글이 나올까. 생각은 그대로 멈춰 있을 수도 있고 말은 지나가기도 하고 행동은 정해진 그 시간 속 순간일 수 있지만, 글은 남는다. 그리고 그렇게 남겨진 글은 오래오래 읽히고 그 글을 읽은 누군가의 생각이 되고 말이 되고 행동이 된다. 그래서, 내 주변에서 가장 기억에 남는 글을 쓰는 J는 나의 영감이 되는 것이다. 영감이라고 쓰니 좀 간지럽게 느껴질 수도 있는데, 그만큼 단조로운 일상에 스파클링 튀듯 자극이 되는 것은 분명하다. 그만큼 같이 있으면 신이 나고(때론 너무 많이 신나서 문제지만) 오래 기억하고 싶어진다.

일개 독자로서 내가 가장 좋아하는 작가님은 '양귀자' 작가님인데, 마음에 오래 남는 문장들을 쓰기 때문이다. 한 번 보면 잊을 수 없고, 필사하고 싶고, 사진으로 찍어 남기고 싶고, 나중에 또 보고 싶은 문장들이 하나의 책에 무수히 많다. J의 글이 나에게도 그런 편이다. J는 전문적으로 글을 쓰는 사람은 아니지만, 오랫동안 운영해온 블로그를 통해 글을 가끔 쓰는 편인데, 이 책을 빌려 솔직하게 말하자면 나는 J의 블로그를 꽤 자주 본다. 한 번 본 게시글도 문득 생각나면 또 보고, 밤에 잠이 오지 않을 때도 가끔 본다. J가 쓴 글을 보면 오감이 만족되는 기분이랄까. 그가 쓴 문장을 곱씹으면 그 문장이 묘사하는 색깔과 냄새와 때로는 촉감, 그 문장과 어울리는 노래까지 떠오르곤 한다. J가 나에게 뭘 제안하면 난 아묻따 오케이다. 이유를 댈 만큼 고민하지도 않는다. 즐거울 것이 분명하고, 똑같은 경험도 더 특별한 기억으로 남게끔 해줄 것이 분명하기 때문이다. 그리고 여기 그 특별한 조각들이 있다.

Episode1.

퀘스트1. 2호선 지하철역 외우기

퀘스트2. 외운 지하철역 게임에서 말하기

퀘스트3. 게임에서 이겨서 술 안먹기

J를 처음 보던 순간도 특별했다. 아니 J가 특별한 순간으로 만들어 주었다. 흔하디흔한 대학교 OT 뒤풀이에서 우리는 같은 조에서 술을 마시고 있었다. 처음 보는 과 선배들, 동기들과의 만남이었고 지하철 특정 호선 역 이름을 이어 말하는 술게임을 하고 있었다(그 당시에 한창 하던 술게임이라 지금은 당연히 안 할 수도 있다는 점을 고려해 주시길 바란다). 6호선에서 누군가 틀리고, 2호선에서 누군가 틀리고, 1호선에서 또 누군가 틀린다. 그저 술게임을 하고 있는 전혀 특별할 것이 없는 상황이다. 그

런데 그 누군가가 다 한 명이라면? 그래도 사실 뭐 저 친구 불쌍하네..하면 끝이다. 그런데 그때 두 시간 동안 말 한마디, 인사 한마디 안 섞어본 J가 나를 툭툭 쳤다.

"제발 2호선 다섯 개만 외우자 내가 다섯 개 가르쳐줄게."

나에게 처음 건넨 말이었다. 그리고 너무 틀려서 정신이 없던 나는 왜 나에게 알려주는지 이유를 묻기 전에 정말 더는 틀려서 술을 먹고 싶지 않아서 J가 알려주는 그 다섯 개의 역을 열심히도 되뇌었던 것 같다. 그리고 꽤 효과가 있었다. 지하철 게임을 하면 고유명사같이 매번 틀리는 내가, J 덕분에 꽤 많은 순간을 잘 넘어갔다. 나중에 수줍게 고맙다고 하며 왜 알려줬느냐고 물었는데, J는 딱 봐도 어수룩해 보이는 내가 지하철역을 잘 몰라서 매번 게임에 걸리고 술을 마시는 모습이 너무 안타까워 보였다고 한다. 그럴 수밖에 없었던 게, 나는 그 당시 서울에서 지하철을 딱 두 번 타보고 그 자리에 있는 것이었다. 첫 번째는 대학교 면접 때, 두 번째가 OT 참석을 위해 대학교에 왔을 바로 그 시점. 당시 학교가 있는 역에 가기 위해, 교통카드를 어디서 사는

지 포탈사이트 지식인에 어느 방면으로 가면 되는지 검색해봤을 정도면 왜 그렇게 주구장창 틀려댔는지 이해가 쉬울 것이다. 그 다섯 개의 역이 선명하게 기억나진 않지만, J와 나는 요즘도 그 얘기를 한다. 그 당시 우리가 얼마나 어렸는지, J가 처음 봤던 나는 어떤 모습이었는지, 얼마나 불쌍해 보였으면 통성명과 안부 인사를 차치하고 지하철역을 대뜸 먼저 말해주는지, 그때 나에게 J는 구원자와 같아서 친해지고 싶은 마음이 꽤 극에 달했다든지 했던 순간들. 그렇게 처음 보는 순간마저 회자할 수 있는 추억이 되었다.

Episode 2.

퀘스트 1. 시나몬 가루 찾기

퀘스트 2. 컵에 시나몬 가루 묻히기

퀘스트 3. 시나몬 가루와 함께 흑맥주 마시기

숨만 쉬어도 입김이 나오는 2월의 추운 겨울, 둘 다 시나몬 가루가 솔솔 뿌려진 흑맥주가 먹고 싶다. 집 근처엔 흑맥주는 팔지언정, 시나몬 가루가 올라가 있지 않다. 대체재는 많이 있다. 근처 가게에서 생맥주를 마셔도 되고, 편의점에서 흑맥주를 사와도 된다. 그렇지만 그 어떤 대체재도 완벽하진 않다. 어떻게 할 것인가. 여러분은 어떤 선택을 할 것인가.

이 때 J의 선택은, 시나몬 가루를 찾아 나서는 제안을 하는 것이었다. 그리고 언제나 그랬듯 나는 퀘스트를 부여받은 듯 따라나선다. 편의점 여러 곳을 가봤지만, 편의점엔 없다. 반신반의하며 근처 작은 슈퍼에 들어갔지만 찾지 못한다. 결국, 점원에게 물어봤지만, 고개를 갸우뚱하고 없을 것 같다며 조미료가 있는 코너로 우리를 안내하는데, 딱 하나 남은 계핏가루를 발견한다. 결국 발견하게 되는 매직. 발견하게 되는 기쁨도 한 층 더 특별해진다. 우리는 결국 계핏가루를 찾았고 편의점에서 코젤 다크 흑맥주를 구매해서 J의 집에 가서 동그란 잔에 물을 묻히고 계핏가루와 설탕을 묻혀 수제 시나몬 흑맥주를 만들어 마셨다. 맥줏집에서 판매하는 것만큼 시원하고 달고 설탕이 많이 묻어있진 않았지만, 그럴듯해 보이는 잔과 잔에 담긴 흑맥주와 군데군데 어설프게 묻어 있는 시나몬과 설탕의 조합은 그 날의 수확이었다. 게임에서 퀘스트를 깨면 주는 게임머니나 경험치처럼, 차례대로 하나씩 퀘스트를 깨보니 얻은 시원하고도 달았던 맥주의 맛. 퀘스트를

3개나 깨고 자취방에 앉아 소란스럽게도 마셨던 그 때의 맥주에 포스트잇을 붙여야할 것만 같다.

Episode 3.

퀘스트1. 청담까지 운전하여 당근 거래하기

퀘스트2. 드라이브쓰루 하기

퀘스트3. 당근 거래한 해먹 설치하기

J는 짐과 에어컨 실외기로 가득 찬 베란다에, 갑자기 해먹을 놓아두고 싶다. 때로 그 해먹에 누워서 책 읽고 맥주를 마시면 여름에 이보다 더 큰 행복은 없을 것 같다. 당근으로 마구마구 검색하는 데, 때마침 당근마켓에서 구매하고 싶은 해먹이 생겼다. 굳이 해먹을 왜 사느냐고, 쓸데없다고 말할 것만 같은 친구들이 떠오르지만, 그 생각은 접어둔다. J는 해먹 거래를 같이 가 줄 만한 사람을 고민한다. 동네에 살고, 운전도 할 수 있고, 무엇보다 가장 중요한 그 낭만을 사는 마음을 이해해줄 수 있는 친구. 바로 나였다. 우리는 차를 빌렸고, 무엇보다 J는 내가 운전을 얼마나 잘하고 못하는지는 물어보지도 않고 냅다 옆좌석에 탄다. 우리가 2시간 빌린 모닝 안에

서 J는 그저 신이 나 초여름에 걸맞은 노래를 재생시키고, 나는 무사고 경력이지만 그렇다고 베스트 드라이버는 아니기에 신이 나지만 차분한 마음으로 운전대를 잡고 있다. 그렇게 청담으로 향하여 무사히 당근 거래를 성사시킨다.

돌아오는 길, 빌린 차 시간은 약 50분이 남았는데 그저 돌아가자니 아쉽고 어딘가에 들어가자니 시간이 없다. 그때, 드라이브쓰루가 생각난다. 내 인생 첫 드라이브쓰루. 처음 하는 모든 것은 경험이라 생각하기에 그저 좋긴 하지만, 일단 해본 적이 없고 더군다나 그리 익숙지만은 않은 운전대를 잡고 있다. 나는 무언가를 처음 하는 상황에서 뭔가를 잘하지 못해서 주목받고 당황하는 상황을 싫어하는 편인데, 그런 상황이 펼쳐질까 봐 내심 걱정되었던 모양이다. J는 나의 그런 마음까지는 몰랐겠지만, 드라이브쓰루는 처음이라며 몇 번 말하는 내 모습을 보고 그저 알려주는 대로 하면 된다고 신경 쓰지 않아도 된다고 툭 건넸다. 그렇게 인생 첫 드라이브쓰루로 음료를 받고 나오는 길, 그게 뭐라고 상당히 신이 났었다. 공간지각능력이 부족해서 쌓기 나무 나머지 자습에 매번 불려 가던 내가 어느새 커서 운전을 다 하고, 심지어 운전해서 차에서 멋있게 음료를

시키고 커리어우먼이 따로 없네 이런 느낌. J에게도 이런 신이 난 마음을 숨기지 못하고 뿌듯함을 마구 내비쳤는데, 그때 J는 같이 웃었다. 아마 서울 지하철도 못 외우던 애가 이제 복잡한 서울 시내 운전도 한다는 듯이 혼자 신이 나 있는 모양이 내심 웃겼을 것이다. 집으로 돌아와 당근으로 거래한 해먹까지 조립한다. 그렇게 이리저리 조립한 해먹에 앉아서 튼튼하고도 푹 꺼져서 편안한 그 느낌까지 테스트 해보고, 늦여름 선선한 어느 날 J의 집에 방문해 해먹에 누워 책 읽는 약속까지 하고 나면 그날의 퀘스트는 마무리된다.

그저 그냥 그런 날로 지나갈 수 있는 하루를 둘만의 신 나는 날로 기억되게 하는 J가 있어 내 기억에도 수많은 포스트잇이 붙어있는 게 틀림없다.

일곱. 여행에는 무엇을 들고 가야 하나요?

여행에는 희로애락을 들고 가야 합니다. 기쁨과 즐거움만 있으면 안 돼요, 분노와 슬픔도 있어야 해요.

여행에서는 이상하리만치 기쁨과 즐거움만 가득하다. 어떻게 생각하면 당연하기도 한데, 의도적으로 피한다고 피해지지 않는 슬픔과 분노도 가득한 현실에서 의도적으로 도피하여 기쁨과 즐거움만을 선별하여 고른 일정이기 때문이다. 그저 나의 일상이 아닌 행복만 할 것이라는 뚜렷한 목적을 가지고 고르고 골라낸 일정. 행복하고 기쁜 것만 선별한 그 여행에서 벅차게 행복했던 기억이 서서히 흐려질 때면, 지나가는 시간이 내 행복한 기억까지 함께 가지고 지나가는 것만 같아서 시간이 야속하기만 하다. 고르고 골라 최고의 것만 선별한 여행인데, 기억도 선별해서 가져가 주면 좀 좋을까. 하지만 이건 그저 나의 투정일 수도 있다. 여행에서는 기쁨이 도처에 가득하니 그 안일함에 파묻혀서 슬픔을 잊은 것일 수도 있다. 그래서 어쩌다 튀어나오는 슬픔과 고통이 그 여행을 불행하게 만든다고 생각할지도 모른다. 하지만 그렇지 않다. 여행은 희로애락이다 있어야 완벽하다. K와의 여행이 매번 기다려지는 이유이다. K는 내 희로애락이 되어 준다. K와의 여행에는 늘 희로애락이 함께 한다. 그래서 여행에는 K도 들고 가야 한다(K가 들고 다닐 수 있는 사물은 아니지만, 그 정도로 옆구리에 끼고 다니고 싶은 존재이니 들고 갈 수 있다고 생각하자).

인생 자체가 희로애락으로 가득한데 굳이 일상을 떠나 좋은 기운을 채우러 떠나는 여행에서도 슬픔과 분노가 굳이 있어야 하느냐고 반문할 수도 있는데, 맞는 말이다. 그저 나의 선호일 수 있다. 그렇지만 희로애락이 모두 있는 그 여행에서 더 단단해짐을 느낀다. 혼자 하는 여행에서는 내 내면이 단단해짐을, 함께 하는 여행에서는 그 관계의 견고함을 느낀다. 그리고 K와는 기쁨도 함께하지만 슬픔과 고난도 함께한다.

K는 내 여행메이트다. 우리는 여행을 아주아주 좋아한다. 하지만 그 여행에 대한 사전지식은 별로 없는 편이다. 그저 "우와 가고 싶다!" "갈래?"하고 훌쩍 떠난다. 그냥 대답이 곧 출발인 셈이다. 사전지식 없이 "가면 다 돼, 하면 다 돼" 라는 마음가짐으로 그저 떠나는데 그래서 그런지 고난이라면 고난

으로 느껴질 순간들을 꽤 경험한다. 그런데 선천적인 성격으로 타고난 것인지 후천적으로 형성된 것인지 모르겠지만 나는 꽤 이런 고난들을 즐기는 것만 같다. 내 고난이 남에게 피해만 가지 않는다면 그저 재밌고 새롭다. 처음 하는 모든 것은 경험이라고 생각하는 나에겐, 고난은 그저 임팩트가 강한 경험일 뿐이다. 뭐든 해낼 수 있을 것만 같은 왠지 모를 자신감과 해내지 못하더라도 그저 웃어낼 수 있는 무던함은 덤이다. 그리고 K는 그 순간을 함께한다. 그 고난을 겪어낼 틈도 없이 멋지게 그 상황이 오기 전에 차단하거나, 고난 초기에 멋지게 해결하거나 그런 건 없다. 그저 같이 고난을 겪어낸다. 그래도 그럼에도 나는 K가 옆에 있다는 이유만으로 왠지 안심된다. K라는 존재가 이미 나에게 희로애락으로 여겨져서 그럴까.

아무것도 모르고 그저 즉흥적으로 캠핑을 갔던 날이었다. 나는 아무것도 몰랐지만 여느 때와 다름없이 그저 해보면 된다는 생각이었고, K는 캠핑은 그런 생각으로는 쉽게 할 수 있는 캠핑이 아니라고는 하지만 그렇다고 나서서 찾아보지는 않는 그런 상태였는데 아니나 다를까 고난이 찾아왔다. 캠핑장에 도착했는데 해는 지고 있고, 텐트는 물론 타프도

칠 줄 모르는 그런 상황. 이 모든 것을 오는 길에 유튜브로 10분 정도 배운 상황. 이 와중에 해지는 모습은 너무 황홀해서 눈길이 자꾸 간다. 텐트 치다가 노을 한 번 힐끗, 타프를 치기 위한 텐트펙을 땅에 내리꽂다가 해 한 번 힐끗, 해 한 번 힐끗 쳐다보고 바로 고개를 돌렸는데 아무것도 완성되지 않은 덩그러니 놓여 있는 타프 힐-.. 완성된 것이 없어서 힐끗이 안된다 이건. 황홀하지만 황홀하지 않은 순간. 겨우 완성했다 싶으면 자꾸 땅에서 빠지는 텐트펙 덕분에 해가 다 지고도 핸드폰 플래시를 켜고 땅에 망치를 수십 번 내리꽂지만, 철썩-스읔 들리는 파도 소리와 바닷소리는 황홀하기만 하다. 오늘 당장 잠을 잘 수 있을지조차 확신할 수 없는 그 상황조차 아득하기보다는 그저 하염없이 재밌었다. 자꾸 빠지는 텐트펙이야 다시 꽂으면 되고, 자꾸 무너지는 폴대야 다시 고정하면 된다. 몇 번이고 다시 하기만 하면 된다. 그리고 K는 처음부터 그 모든 상황을 척척 해결하기보다, 함께 고군분투해준다. 나서서 척척박사처럼 해주는 것보다 함께 헤쳐나가는 상황이 더 재미있다. 그리고 나는 그게 더 힘이 된다. 몇 번이고 다시 하기만 하면 되는 게 인생인데 그걸 함께 해주는 거니까 어쩌면 그 찰나의 인생을 우리는 함께 사는 것이다.

여행은 나를 더 사랑하게 하는 계기가 되고, 함께 하는 이를 더 보듬게 되는 결과를 낳는다. 희로애락을 피하지 않고 있는 그대로 겪어내는 나를 더 사랑하고, 있는 그대로 함께 겪어주는 그를 사랑한다. 여행은 그렇다. 함께 하는 이의 모든 것을 기꺼이 감내하고 사랑하게 해준다. 그 모든 것을 함께 하는 나를 더 씩씩하게 하기도 한다. 여행을 다녀오면 모든 것에 대한 사랑이 깊어진다. 일단 그 중심엔 내가 있다. 그 여행을 누구보다 신이 나는 마음으로 몸 건강히 다녀온 나, 캐리어를 올리지 못해 끙끙거리던 나에게 넌지시 도움을 주려 했던 나보다 더 연약했던 할머니, 들어가는 가게마다 미소로 화답해주었던 이름 모를 가게들의 종업원, 며칠 묵었던 숙소에서 치즈보다 햄을 더 많이 먹는 식습관을 보고 햄을 두 배 이상 준비해주었던 호스트, 나만 한 덩치를 가지고 나를 무척 좋아해서 아침마다 나에게 안기며 휘청이는 나는 아랑곳하지 않고 여기저기 깨물던 강아지, 너무 많이 걸어서 발바닥이 욱신거릴 정도로 아픈 나를 위해 발을 주물러주던 K. 모든 이를, 모든 것을 그저 더 사랑하게 된다. 그 모든 것을 생각하면 아득하게 눈물이 날 것 같을 정도로 여행이 주는 그 희로애락을 사랑한다.

인간은 결핍을 혹은 여백을 채우려 한 생애를 다 보낸다는 말을 들은 적이 있다. 읽는 이에 따라 부정적으로 읽힐 수도 있는 이 문장에 나는 방점을 찍고 싶다. 여백을 채운다는 것은 부족한 나를 인정하는 것일 수도 있지만 비어있는 나 자신이 곧 차곡차곡 쌓아나갈 수 있는 큰 그릇임을 의미하기도 한다. 그래서 뭐든 채울 수 있다. 그저 내가 좋아하는 것을 하며 그 여백과 결핍을 채워 나가면 된다고 느낀다. 그리고 누구에게나 결핍된 요소는 그저 다를 뿐이다. 그리고 나에게 그 결핍은 어떤 극적인 요소인 것 같다. 그저 무난하고 평탄한 심리적 안정감을 가지고 어떤 고난이 있어도 무던하고 무난하게 대처해온 나는, 미리 준비되지 않았고 뜻하지 않게 찾아온 고난에서 큰 당혹감을 느낀다. 그럴 땐 진짜 심장이 너무 빨리 크게 뛰어서 내 귀에 심장 뛰는 소리가 쿵 쿵 쿵 들리는데 그때가 내 인생에서 제일 난감할 때다. 뭘 해도 실수할 것 같고, 준비되지 않은 무언가를 하면 꼭 큰일이 날 것만 같다. 그런데 여행을 하면서는 그 결핍이 스스로 허용이 되고 또 충족된다. 여행에서 마주하는 극적인 요소들과 그에 반응하는 나의 극적인 모습들이 평소 무던하던 나의 일상에서 스파크가 되면서 그게 또 여행에서의 일상이 되며 평소의 결핍을 채워주는 순간.

나에게 결핍일 수 있는 극적인 요소를 찾아 여행을 떠나고, 그 여행을 함께 다니는 K는 그 극적인 요소를 함께 고군분투 해주며 내가 다시 그 결핍을 메꾸고 심지어 안정감까지 찾게 해준다. 그래서 여행에는 K를 데려가야 한다. 나의 결핍이자 충족이며, 희로애락이자 안정이다.

여덟. 나의 치트 키? 할머니의 치트 키

할머니는 치트 키 같은 존재였다. 어릴 적 맞벌이 하던 부모님 밑에서 성장하며 어린이집이나 유치원, 초등학교 하원 후 할머니 집에서 시간을 보내는 시간이 나에게는 꽤나 익숙했다. 할머니 집이라고 해봤자 조립식 주택으로 된 이층집에서 2층을 맡고 있던 우리 집 아래 1층집이 할머니 집이었지만 말이다. 대문을 활짝 열어젖히며 쩌렁쩌렁한 소리로 "다녀왔습니다!" 하며 그저 대충 인사를 하면 할 일은 끝났다는 듯 1층에 들르지 않고 후다닥 곧장 2층으로 올라가 TV를 보고 노는 날도 많았지만, 할머니는 그저 늘 그 자리에 있었다. 문지방에 걸터앉아 꼭 내가 뭔가를 해달라고 하는 것을 기다리고 있었던 것처럼 말이다. 내가 언제든 누를 수 있는 치트 키 같이, 그리고 나를 다룰 수 있는 몇 가지 치트 키도 꽉 쥐고 있었다.

" 할머니, 라면 먹고 싶어요!"

하교하고 할머니께 "다녀왔습니다!"를 외치던 날 중, 할머니가 끓여주는 라면이 먹고 싶던 날이 꽤 많았었다. 그 당시 나는 밥을 잘 안 먹어서 전교

생 중 키가 가장 작은 학생이었고, 밥을 잘 먹는 한약까지 달여먹을 정도로 밥에 관심이 없었는데 유독 할머니가 끓여주었던 라면은 잘 먹었었다. "할머니, 라면 먹고 싶어요!" 하면 화려한 꽃이 그려진 은색 쟁반 밥상에 올려 나오던 국그릇에 담긴 꼬들꼬들한 신라면 한 그릇. 달걀은 꼭 다 풀어야 하고, 꼭 국그릇에 담겨서 나와야 한다. 아주 뜨겁지는 않고 숟가락에 한 젓가락 크게 담아 입에 넣으면, 적당히 뜨거워서 후후 불지 않아도 먹을 수 쉽게 먹을 수 있었던 라면. 그리고 다 먹은 그릇은 직접 설거지하고, 직접 배합한 원두, 설탕, 프리마로 할머니에게 믹스 커피 한잔 타서 가져다 드리면 그날 나의 일정은 완벽하게 마무리되는 것이다.

"할머니, 따주세요!"

잘 먹지도 않으면서 뭘 많이 급하게 먹는 날에는 꼭 체했다. 그리고 꼭 체하는 날엔 무조건 할머니에게 쪼르르 달려갔다. 실제로 상주에서 학교를 다닐 땐 체했을 때 소화제를 먹은 기억이 없다. 밤낮이고 할머니에게 달려가서 따달라고 했었으니까. 그러면 거짓말처럼 나았다.

뒤틀리는 배를 부여잡고 2층에서 내려가서 “할머니, 따주세요!” 하면 할머니는 주섬주섬 안경을 쓴다. 그리고 허리춤에서 바늘 주머니를 꺼낸다. 대여섯 개의 바늘 중 하나의 바늘을 고른다. 그리고 나에게 건네면, 나는 배가 아프니 엉거주춤 구부린 채 그 실에 침을 묻히고 바늘에 끼운다. 그러면 준비완료. 할머니는 내 왼팔을 잡고 본인의 손으로 위에서 아래로 세게 쓸어내린다. 어깨에서 손 쪽으로 투욱-툭 묵직하고도 둔탁한 소리를 내며. 피를 모으는 것만 같다. 쓸어내려 최대한 피를 모으는 동시에 내 엄지손가락을 구부리고 엄지손가락에 실을 마구잡이로 감아 피를 안 통하게 한다. 바늘에 콧김을 불어넣는다. 약간 뜸을 들이고 바늘로 손가락 마디 위쪽을 콕 찌른다. 검은 피가 솟아난다. 피나는 부분 옆쪽을 여드름 짜듯이 손가락으로 쭉 누른다. 그럼 피가 더 많이 난다. 피를 보면 아프지만, 한편으로 안심된다. 검은 피를 보면 내가 체한 게 진짜라는 생각과 동시에 이제 피를 봤으니 체한 게 내려갈 것이라는 안심이 된다. 아니나 다를까, 체감상 몇십 초안에 정말 체한 게 내려가는 소리가 들린다. 그리고 마무리는 까스활명수. 할머니가 따주시고 나서 먹는 까스활명수, 이 조합이 나에겐 소화제였다. 엄마도 아빠도 아닌 꼭 할머니가 따야 했는데, 아빠가 따준다고 하면 싫다며 거절했던 기억이 난다. 아빠는 잘 못할 것 같다고 생각했던 것 같다. 아빠는 뭔가 전문가가 아닌 것 같은 느낌. 그런 느낌은 논리적으로 설명할 수는 없지만, 그땐 그랬었다. 그리고 사실 아직도 그런 느낌은 있다. 아직도 체할 때마다, 아빠가 따준다고 할 때면 그리 시원한 느낌이 들지는 않는다. 할머니가 따 줄 때면, 체했을 때마다 전혀 걱정 없이 할머니께 가기만 하면 된다는 생각만 들었다면 지금은 그 이후의 생각마저 함께 든다. 아빠의 능력을 시험하고 싶지는 않지만, 실제 내 마음이 그런 건 어쩔 수 없다. 그 당시의 확신을 나는 앞으로도 가질 수는 없을 것이 분명하다.

게임에서 질 것만 같을 때 나만의 비밀 무기처럼 숨겨놨다 치트 키를 누르는 것처럼, 할머니가 나에게 그랬다. 몇 살 먹지 않은 꼬꼬마 시절의 나에게도 위기라는 건 늘 찾아왔고, 그럴 때면 할머니를 찾았다. 앞서 말했던 라면을 먹고 싶을 때, 체했을 때가 아니라도 엄마는 해주지 않는 반찬을 먹고 싶을 때, 시장 구경을 하고 싶은데 아무도 같이 안 가 줄 때, 둘리 비디오를 보고 싶을 때 등 그 시절의 위기상황마다 항상 할머니를 찾았고, 할머니는 본인의 치트 키로 나를 매번 즐거운 어린이로 크게 했다.

모든 어린이는 하고 싶은 것만 하는 어린이로 크고 싶은 마음이 굴뚝같다. 하지만 유치원을 다니고, 학교에 다니면서 하고 싶은 것만을 할 수 없다는 것을 여러 규칙을 통해 깨닫는데, 그런 어린이에게도 숨 쉴 공간은 필요하다. 그리고 할머니는 그런 나에게 방공호 같은 존재였다. 그 뒤에 숨어서 하고 싶은 것 이만큼 하고 다시 우당탕탕 당당하게 걸어나올 수 있는 그런 공간이자 그런 존재. 집을 벗어나 처음으로 어린이로서 어린이집, 유치원 속에서 수많은 규율을 마주하며 겪었을 부담이나 굴레를 벗어나 온전히 나의 존재를 있는 그대로 받아들여 주는 그 공간. 치트 키를 써서 그 게임의 판도를 바꿀 수 없을지는 모르지만, 잠깐은 숨 쉴 수 있게 해주는 그런 존재. 그래서 더 많이 그립다. 어린이에서 어른이 되어갈수록 나 스스로 나의 방공호가 될 수 있다고 믿어 할머니를 더 많이 찾지 않았던 것, 어린 그때의 그런 순수한 마음이 아니라 조금은 때 묻은 마음으로 할머니를 찾아갔던 것. 치트 키를 그저 치트 키로 남겨두었던 것이 꽤 아린 마음으로 남아있다. 그 게임이 영원히 계속되지 않기에 치트 키가 의미가 있는 것인데, 매번 그 게임이 끝나고 시간이 지나야 그 온전한 의미를 더 깊이 알 수 있다는 것이 꽤 큰 아픔이자 슬픔, 그리고 그리움으로 다가온다.

그래도, 아직도 여전히 치트 키로 남아있다. 우리 할머니는.

아홉. 눈이 넘넘 예쁜 피아노 선생님

누군가에게 동기 부여를 받을 때 보통 그 누군가의 특정 행동, 특별한 말 한마디일 때가 많다. 하지만 사람 그 자체에 동기 부여를 크게 받을 때도 있는데, 7살 때 만난 피아노 선생님이 나에게 그 시작이 아니었을까 생각한다. 아직도 그 반달 같던 눈과, 조금은 허스키하고 낮은 목소리가 생각난다. 밝은 갈색 단발머리까지도. 피아노를 처음 연주해보는 나에게 아낌없는 칭찬과 가끔 채찍 섞은 연습을 시키던 그 모습도 어렴풋이 하나의 장면으로 남아있다. 그 당시 나의 눈엔 선생님이 너무너무 세상에서 제일 예뻐 보였다(오늘 피아노 열심히 쳤느냐는 엄마의 물음에도 그저 성의 없이 대답하고 근데 선생님이 예쁘다고 말할 정도로). 그리고 내가 세상에서 제일 예쁘다고 생각하는 선생님께서 나를 예쁘다 하니 정말 내가 예쁜 사람이라고 생각했었던 것 같기도 하다. 당시 크리스마스 때 선생님께서 짤막한 크리스마스카드를 써주었는데, 20년이 지난 지금도 간직하고 있는 그 카드엔 이렇게 적혀있었다.

눈이 넘넘 예쁜 자영이에게

자영아, 안녕? 피아노 샘이야.

가족들이랑 행복한 크리스마스 보내고

새해엔 피아노 연습도 열심히 하는 자영이가

되길 바라.

- 파랑반 샘이-

그렇다. 나에겐 이보다 더 큰 동기부여는 없었다. 내가 예뻐서 좋아하는 선생님이, 나의 눈을 예뻐하는데, 내가 피아노 연습을 조금 더 열심히 하면 좋겠다고 하는데, 내가 하지 않을 리가 있나. 그때의 기억이 아주 선명하진 않지만, 그래도 그때를 기점으로 피아노 연습을 좀 더 열심히 하게 된 건 확실하다. 사실 얼떨결에 가게 된 피아노 학원이었다. 썩 내키지 않지만 엄마 손잡고 도착한 곳이 피아노 학원이었고, 원장님과 상담을 했고 어쩌다 내일부터 나오라는 말을 들었을 뿐이다. 그래서 큰 흥미가 없어서 연습을 열심히 하지 않았었다. 나 때는(라떼는 말이다) 보통 10회 정도 정해진 연습 구간에 대해 건반을 열심히 쳐야 했다. 선생님이 10개의 동그라미를 그려주고, 1회 연습을 끝마칠 때마다 작대기를 하나씩 그어야 하는 규칙이 있었다. 포도알 같은 그 동그라미를 얼른 긋고 싶어서 건반을 뚱땅뚱땅 0.7회 치고 채우는 경우도 있었다(그때도 간이 작아서 0회하고 1회 색칠하는 건 못했다). 하지만 파랑반 샘이 나의 선생님이 된 후엔 1.4회 하더라도 스스로 만족하지 않으면 채우지 않았다. 그것이 혼자만의 약속이었다. 1회의 할당량을 내가 만족할 만큼 채우지 않으면 포도알을 채우지 않는 것. 내가 9살에 처음 입상하게 된 전국 피아노 콩쿠르의 곡을 정해준 것도, 그 곡의 강약을 조절하며 치는 방법을 알려준 것도 파랑반 샘이었다. 손도 발도 키도 모두 아주 작았던 8살의 나는(지금도 사실 그 모든 것이 크지는 않다) 피아노 칠 때도 손이 아주 작았는데, 작다 보니 아무래도 피아노 치는 데 불리했다. 낮은 도-높은 도를 한 손으로 동시에 치지 못했고, 항상 둘 중의 하나의 도만 쳐야했고, 그래서 소리가 남들보다 조화롭고 풍부하지 못했다. 그래도 그때마다, "자영이는 낮은 도만 치자. 그래도 괜찮아 중요하지 않아"라고 말하며 나의 사기를 북돋으려 해주셨던 기억이 어렴풋이 난다. 내가 좋아하는, 내가 예뻐하는 선생님이 괜찮다고 하는데 내가 안 괜찮을 리가 없다. 그렇게 선생님과 열심히 연습한 결과 실제로 나는 그 콩쿠르에서 대상을 받았다. 나는 안 괜찮을

리가 없으니까.

신기하게도 이때의 기억이 문득 20년이 지난 지금 나의 자존감도 무려 몇 단계나 높이기도 한다. 동글동글 카드에 적힌 선생님의 글씨를 보며, 그때 선생님의 기대에 부응하기 위해 피아노 연습을 열심히 하던 나와 그런 나를 귀엽게 보는 선생님을 떠올릴 때면 잠시 흐트러지고 갈피를 잃었던 내 모습이 다시 재정비된다. '맞아, 나 눈이 예쁜 사람이었지! 맞아 나 전국 콩쿠르 대상도 받은 사람이야!' 나를 이만큼이나 예쁘게 보고 고양시키는 사람이 20년 전에도 있었고 지금도 많은데 내가 가라앉을 수 없다는 생각이 몽실몽실 떠오른다. 그리고 신기하고도 안타깝게도, 선생님이 피아노학원을 그만둔 시기를 기점으로, 피아노에 대한 나의 흥미도 급격히 떨어지기 시작했던 것 같다. 내가 꾸준히 피아노를 쳤던 건 정말로 파랑반 샘 덕분이었나 보다. 선생님의 진심, 선생님의 관심, 그리고 선생님의 욕심.

지금도 고향에 갈 때마다 우연히 내가 다녔던 피아노학원을 지날 때면 그 당시의 나를 생각한다. 그리고 우연히 선생님을 마주칠 수 있을까 상상한다. 우연히 마주치게 되면 바로 알아볼 수 있을 것만 같은데, 그리고 바로 말을 걸 수도 있을 것만 같다. 하지만 20여 년이 지난 지금도 선생님을 우연히 라도 알아본 적은 없었다. 어쩌면, 정말 잠깐 생계를 위해 피아노 학원에서 아르바이트한 선생님일 수도 있다. 하지만 나에게 그랬던 것처럼 누군가에겐 잠깐이고 흘러가던 순간이 다른 누군가에겐 다정한 시선으로 오래 기억되는 순간이 된다. 나도 누군가에게 그런 시선으로 남았던 순간이 있을 것이다. 그래서 더 스쳐 지나가는 이에게도 다정한 시선을 두려 하는데, 어떤 시선으로, 어떤 인연으로 남을지 사실 잘 모르겠다.

한때 나를 선생님이라고 부르곤 했던 나의 과외생들은 나를 어떻게 기억하고 있을까 생각하는 밤이다. 그들의 인생에서 나는 그저 흘러가는 인연이고 그저 수많은 학창시절 중 하나일 수 있다. 원래 시간이 흐를수록 잊는 건 당연한 것이고, 특히나 한 계절은 몇백 번의 계절을 겪는 인생에서 아주 작은 부분일 수 있으니까. 그래도, "아! 나 과외 선생님 중에 이런 선생님도 있었다?" 라고 잠깐이라도 눈을 반짝이며 꺼낼 수 있는 기억이라면 그것만으로 충분할 것 같다. 원래 그런 계절이 쌓이고 쌓여 한 사람의 인생이 되는 것이다.

열. 이해됐나요?

어느 공부 잘하는 사람의 에세이를 읽거나 인터뷰를 보게 되면 그런 말이 나온다. "어느 순간 말이 트였어요" "어느 순간 이해가 됐어요" 아직도 이런 말들이 100% 와 닿지는 않는다. 어떻게 어느 순간 말이 트이지? 영어를 20년 넘게 공부하는데도 아직 말이 트이지 않았는데? 하지만 이해가 되었던 그 어느 순간은 있었다. 어느 누군가에겐 별거 아닌 사소한 순간일 수 있지만 나에겐 천재들만이 할 수 있던 그 대사가 현실로 다가오던, 흔히 말해 눈이 번쩍 뜨이던 순간이었다.

고등학교 1학년이 되기 직전의 겨울방학, 학원에서 수학의 정석으로 고1 수학을 예습하고 있었다. 여느 흔한 중학생이 그렇듯, 나도 수학을 가장 못한다고 생각했고 실제로 제일 못했던 것 같다. 수학의 정석을 공부하면서 고등학교 수학은 정말 다르다 생각했던 기억이 난다(지금도 수학의 정석의 모든 문제를 풀 자신은 없다). 고등학교 진학을 하게 되면 학원에 다니고 싶지 않았기 때문에, 실제로 내가 사교육을 받는 마지막 학원이어서 더 열심히 하고 싶었는데 마음과 머리는 달랐다. 맨 앞에서 수학

수업을 들었고, 원장님의 무심하고도 시크한 “이해됐나요?” 라는 질문에도 매번 눈을 마주치면서 듣고 있다는 신호를 보냈지만, 동공은 떨리고 있었고 마음속으로는 이해할 수 없었다. 그저 원장님의 필기만 받아적고, 모르지만 또 받아적고, 일단 듣고 있었다고밖에 말할 수밖에 없었다. 그저 판서를 내리 받아적고, 풀라는 수학 문제는 하나도 못 풀어서 매번 답지를 들추어 한 줄 읽고 문제를 풀어보고, 안 풀리면 또 답지를 들추고 하던 날들이었다. 이해가 되지 않으니 흥미는 또 못 느껴서 따로 복습을 열심히 하진 않았는데 그래도 못 알아듣지만 그래프는 열심히 그리고, 필기는 토씨 하나 안 틀리고 다 했었다. 요약해서 적는 건 내 인생에서 없었다. 일단 농담까지 다 적어야 나중에 봐야 이해가 되기 때문에 모조리 다 적었다.

당시 다니던 학원은 30분 수업 - 30분 자습 - 30분 수업의 커리큘럼으로 이루어졌었는데 여느 때와 같이 첫 30분 수업 때는 못 알아듣고 그저 받아적었다. 그리고 또 30분 수업을 바탕으로 자습했다. 자습 후 다시 수업을 듣는데, 어? 내가 풀었던 문제를 원장님 방식으로 풀이해주는 그 판서가 이해가 되는 것이다. 왜 이해가 되지? 분명히 여느 때와 다름

없는 시간이어서 이해가 될 리가 없는데, 이해가 되었다. 졸린 눈도 뜨이던 그 순간이었다. 왜인지 모르겠는데 이해가 되던 순간. 뭐라 형용할 수 없는데 귀에 들어오던 그 말들이 그저 의미 없이 들리는 말이 아니라 해석되어 들어오던 순간. 부끄럽지만 그때 이후로 난 진짜 원장님의 수업을 기대했다. 어쩌면 그 수업을 이제 이해할 수 있는 나의 자신 있는 모습을 기대했을지도.

원장님은 뻔하고도 대쪽같던 분이었다. 수업을 듣는 일 년 내내 같은 안경, 똑같은 머리스타일, 비슷한 코트, 항상 오른쪽 옆구리에 낀 수학의 정석, 그 수학의 정석을 교탁에 두 손으로 툭 내려놓으며 "반갑습니다" 인사하던 모습까지. 원장님의 수업을 들은 지 어언 10년이 넘었는데도 아직도 그 대쪽같던 모습이 생각난다. 원장님은 가르치는 방식마저 그랬다. 요즘 유행하는 성격검사 MBTI로 원장님을 표현해보자면, 원장님은 T다. 그렇지만 사회화된 T. 어떤 학생이 원리를 이해하지 못하는 모습을 보이면, "어떤 점이 이해가 안 되죠?" 라며 그 마음을 이해하려고는 하지만 결코 그 마음이 이해가 되지는 않으니 원래 가르치던 방식으로 또 설명한다. 나름대로 친절하게 설명을 잘했다고 생각하면, "이제 이해가 되었나요?” 질문하지만, 그 친구가 선뜻 대답을 못하면 “수업 끝나고 내 방으로 오세요. 설명해드리죠. 다음 진도 나가겠습니다.” 하던 모습. 그런 대쪽같던 모습. 그런 대쪽같은 수업 스타일이었기에 나에게도 드라마틱한 순간이 왔던 게 아닐까 싶다. 그리고 그 순간이 내가 수학에 흥미를 느낀 순간이었다. 뭔지 잘 모르겠지만 노력하면 된다는 게 여실히 온몸으로 느껴진 순간. 한 단계 성장하려면 계단을 올라야 한다고 하는데, 딱 한 계단 훌쩍 올라간 것 같이 생각되던 순간. 그때를 계기로 수학이 가장 좋아하는 과목이 되었다 해도 과언이 아니다.

사실 누군가에게나 오는 순간이다. 알아차리지만 특별하게 대하지 않을 뿐일 수도 있다. 그건 원래 본인의 내재된 능력을 믿기에 그리 특별하게 다가오지 않을 수도 있고, 그저 모두에게 오는 당연한 순간이라 여기고 지나갈 수도 있다. 지나가는 순간을 잠깐이라도 잡고 싶은 나는 이 순간에 포스트잇을 붙인다. 그리고 이 글을 읽고 있는 누군가도 그랬으면 좋겠다. 당연한 순간은 없다. 어쩌면 당연해 보이지만, 그 또한 본인이 노력한 결과이고 수많은 계절을 겪어온 사람만의 경험이다. 어느 틈에서라도 빛이 들어오는 순간은 있다. 그 빛이 어느 순간 나의 한 부분을 환하게 비추어주는 빛이냐, 아니면 그저 어느 순간에든 있는 빛으로 여길 것이냐 그 차이가 아닐까. 전자든 후자든 이 자그마한 글이 읽는 이를 한층 더 빛나게 해줬으면 좋겠다. 먼저 알든 나중에 알든 혹시 모르든 그것은 상관없다. 그래도 빛이 나는 건 변함없다.

이해됐나요?

열하나. 첫사랑! 그리고 짝사랑!

너무 자주 들춰서 포스트잇이 바랠 것만 같은 인연. 짝사랑도 사랑인 것처럼, 만난 적도 대화를 나눈 적도 없지만 문장만으로 문학적 길라잡이가 되어준 인연이 있다. 일방적인 사랑도 사랑이기에 그리고 그 사랑이 꽤 크기에 나와 심리적으로 연결되어있다고 볼 수 있다. 다른 설명이 필요 없이 이름 하나만으로 내가 백 마디 할 수 있는 양귀자 작가님이다. 일상 속에서 꾸준히 책을 접하고 기억에 남는 구절을 만나면 사진도 찍고 필사도 하고 포스트잇도 붙이지만 아무리 재밌게 읽어도 머릿속에 문장 하나가 안 남을 때가 은근히 많다. 어떤 내용인지, 어떤 문체인지는 기억나지만 문장 하나 표현 하나를 통으로 말해보라고 하면 때때로 말문이 막히곤 한다. 하지만 작가님의 글은 다르다. 책의 문장, 문장을 읽을 때의 나의 모습, 그 문장을 곱씹고 또 읽는 나의 모습이 머리와 마음에 새겨진다.

어느 한여름의 퇴근길 쨍한 햇빛이 구석구석 나를 비출 때 바싹 구워지는 듯한 느낌을 받는데, 문장을 오래 남기고 싶어서 오래 읽고 또 읽을 때 나는 흡사 구워지는 듯한 느낌을 받는다. 그 문장이 온몸 구석구석을 휘감는다. 햇빛에 구워지고 그을려 팔목 구석구석, 발목 구석구석 까매진 내 몸처럼 그 문장이 글자마다 내 마음에 남는다. 문장이 주는 이미지와 분위기가 구석구석 온몸에 퍼진다는 뜻이다. 그리고 작가님의 글을 읽으면서 글을, 책을 더 사랑하게 되었다는 건 틀림없는 사실이다.

한국 사회에서 꽤 유명했든 작가님을 만났든 건 사실 그리 오래되지 않았다(학창시절 읽은 원미동 사람들은 빼기로 하자). '책 읽는 걸 좋아하는 것 같아!'라고 공표한 무렵이었는데, 친구와 서로 사주고 싶던 책을 교환하던 과정에서 접하게 된 책이 바로 '모순'이었고, 그 모순은 내가 두 번 세 번 읽는 책이 되었던 것이다. 그야말로 첫사랑이나 다름없다. 한 번 보고, 두 번 보고, 세 번 봐도 질리지 않고 매번 설레며 또 읽고 싶고, 수많은 책을 읽고 건너와도 마음 한쪽에 자리 잡아 있는 그런 책. 여기저기 무수히 많은 책을 읽고 돌아와도, 그 문체와 그 분위기는 남아 있는 첫사랑 같은 책. 이 작가님이 나의 첫사랑임을 깨달은 이후로, 작가님의 책은 모조리 구매해서 읽었던 것 같다. 책 두께, 책 내용과 상관없이 모조리 다. 모조리 다 읽었으면 하나쯤은 취향이 아닐 법도 한데 이게 웬걸 모든 책이 다 내 취향이었다. 다음 책을 읽을 때면 흔히 기억나지 않을 법한 줄거리, 캐릭터 이름, 문체, 분위기, 문장, 그 모든 것이 다 내 취향이었다. 이 책의 이 인물을 생각하면 찌르르 마음이 아파져 왔고, 그 책의 그 분위기를 생각하면 자연스럽게 나의 분위기를 생각했고, 저 책의 저 환경을 떠올리면 자연스럽게 저 환경에 있는 나를 생각했다. 누군가 그렇게 읽도록 나를 설득한 것도 아니고 그 방식대로 책을 읽으라고 가이드를 준 것도 아닌데 자연스럽게 그런 방향으로 읽고 생각한 것은 두말할 것도 없이 작가님이 주는 글의 힘이다.

문장의 힘이고 문단의 힘이고 합쳐진 글의 힘이다. 그리고 그것이 글을 쓰는 이유이다. 행동하게 하고, 생각하게 하는 것이 분명하니까. 대면하지 않았지만 한 분야의 길라잡이를 글로 만나는 것은 그것으로도 꽤 값진 경험이다. 오로지 '글'로만 만나니까. 글은 단어로, 접속사로, 그로 이루어진 문장과 단락들로 이루어지는데, 사실 그 자체도 아닌 허구가 가미된 그 소설이 도대체 뭐길래 독자들을 이토록 쥐락펴락하고 흔드는 것일까. 인간은 본인과 비슷한 무언가에 취약하다. 취약한 만큼 공감하게 되고, 도와주게 되고, 그 과정에서 본인을 잃기도 한다. 허구의 소설이지만 현실이 투영된 이야기를 눈으로 직접 읽게 되면 공감하지 않을 수 없다. 함께 분노하고 함께 기뻐한다. 그것이 독서의 과정인 것은 틀림없다. 그리고 작가님은 내 독서의 과정과 공감능력을 매번 시험하는 것만 같다. 그렇지 않고서야, 매번 출간하는 책에서 매번 내 눈물을 쏙 뺄 수는 없는 일이다. 문체가 다정하고 문장이 자세하고 구체적일수록 그는 독자의 마음을 들여다보는 것이 틀림없다. 그렇지 않고서야 나의 마음을 흔들 수는 없는 것이다.

지금까지 대면한 적 없고, 앞으로도 대면할 일이 있을까 싶지만, 그래도 그는 나의 인연이다. 그것도 꽤 강렬한 인연. 어쩌면 나의 포스트잇을 가장 잘 활용하는 인연.

열둘. 업어 키운 이들과
업어 키웠다 주장하는 이들

업어 키운 이들이 있다. 우리 엄마·아빠. 매 순간 업어 키우면서 어쩌면 포스트잇을 붙이는 게 의미가 없을 정도로 내 모든 순간에 존재하는 인연. 지금껏 이렇게 독립적으로 또 씩씩하게 성장할 수 있었던 원동력. 어쩌면 포스트잇이 수많이 붙어있는 나라는 페이지를 구성한 이들.

엄마·아빠에게 포스트잇을 붙인다면 아마 그 붙인 방향으로 길이 나 있을 것이다. 그리고 난 그 방향을 따라 걸어왔을 것이다. 하지만 어릴 적엔 굳이 그 모든 순간에 내가 포스트잇을 붙이고 있다며 티 내고 싶어하지 않은 마음이 컸던 것 같다. 엄마·아빠가 잘 붙여줘서 그대로 따라왔다고 말하기보다, 그냥 혼자 잘 가고 있는 모습을 보여주고 싶은 마음이 컸다. 내내 책을 옆에 두고 모든 길에서 한 장씩 펼쳐보고 얼마나 컸는지 확인하는 것보다, 어느 순간 끝이 접힌 책을 펼쳐봤을 때 훌쩍 큰 모습을 보길 원했다. 책장의 어느 부분을 펼쳐본다고 하더라도 그저 이런 순간이 모여서 지금 이만큼 잘 컸구나 생각하게끔 하고 싶었다. 어느 정도 큰 지금은 생각이 조금 달라졌다. 그렇게 어느새 앞에 있는 엄마·

아빠를 앞지를 정도로 커버렸기에 더 집착하고 접착하고 싶은 순간이 있다. 다 지났더라도, 그럼에도 내가 고마워하고 엄마·아빠는 꼭 기억했으면 하는 순간들.

아빠는 늘 알겠다고 했다. 말로는 알겠다 하지 않았지만, 행동으론 항상 말보다 빨리 와있었다. 우리 아빠는 문자로 "알았어"를 쓰기도 귀찮아서 "알" 혹은 "ㅇ"하나만 쓰는 사람인데, 내가 이 책이 필요하다고 하면 그 책이 책상 위에 놓여있었고, 어디가 아프다고 하면 몇 시간을 안 넘기고 그날 항상 병원에 데려가 주었다. 친구가 밤늦게 집에 놀러왔을 때, 라면을 끓여달라고 하면 대답은 안 하지만 끓인 라면이 식탁 위에 올려져 있었다. 대학수학능력시험이 약 2주 남은 무렵 응답하라 1997이라는 드라마가 유행하던 시절에는, 드라마 본방송을 꼭 무조건 봐야 하니 1시간 일찍 학교에 나를 데리러 와야 한다는 나의 말에도 공부는 안 하느냐는 잔소리는커녕 그저 그 시간에 학교 앞에 와있었다. 생일 때도 생일 축하한다는 말은 잘 안 하지만, 내가 가장 좋아하는 미역국을 꼭 끓여 놓았다. 지금도 그렇다. 밤 7시에 도착하든 밤 11시에 도착하든 상주 버스터미널에 도착하면 항상 아빠가 데리러 온다. 데리러 오라고 굳이 말하지 않아도 데리러 온다. 그리고 집에 가면 내가 좋아하는 아빠표 김치찌개가 끓여져 있다. 이렇게 늘 한결같았다. 무뚝뚝하다고 소문날 대로 소문나있는 경상도 남자도 딸을 사랑하면 이렇게 하는구나. 우리 아빠는 그런 사람이구나.

엄마는 늘 씩씩했다. 엄마가 눈물을 보이던 순간은 주말드라마를 보면서 슬픈 장면이 나올 때뿐이었다. 그마저도 함께 보던 내가 고개를 쓱 돌려보면 멋쩍다는 듯이 웃고서 눈물을 스윽 닦곤 했다. 엄마는 매일 예외 없이 7시에 출근하고, 늦을 땐 10시 가까이 퇴근하면서도 늘 엄마다웠다. 이른 출근시간 때문에 아침에 정성스런 반찬을 할 시간은 없어도 늘 일어나기 싫어하는 나를 깨워 아침은 먹였다. 그리고 아침만 먹으면 곧장 출근했다. 엄마가 씩씩하니 나도 씩씩할 것으로 생각했는지 내가 뭘 하든지 늘 믿어줬다. 공부를 더 한다고 칭찬하지 않았고, 공부를 덜 한다고 꾸중하지 않았다. 독서실에 다니고 싶다고 하면 그저 보내줬고, 독서실을 째고 주말에 친구랑 놀이공원을 가겠다고 하면 그 또한 그러라고 했다. 엄마는 그저 아침에 일어나면 아침 먹으라고 잔소리할 뿐이었다. 일단 시작하고 보는, 배우는 걸 주저하지 않는 성격도 엄마를 닮았다. 엄마는 느지막이 퇴근해도, 해야 하는 문서 작업이 있는데 방법을 모른다면 나를 깨워서라도 배워서 꼭 마무리하고 잠이 들었다. 내가 5분이면 끝날 문서 작업을 대신 해준다고 하면, 엄마 손으로 해봐야 안다면서 50분이 걸리더라도 꼭 직접 했다. 그렇게 늦게 자더라도 항상 다음날엔 나를 깨워서 아침을 먹이고 7시엔 칼같이 출근했다. 그렇게 한결같았고 그렇게 씩씩했다. 그 씩씩함이 엄마의 본 성격이기도 하지만, 나와 우리 가족을 위한 것이었음을 알기 때문에 나도 더 씩씩해지려 했다. 그리고 나는 이미 과하게 씩씩하고, 엄마는 덜 씩씩해도 되는 지금, 그때 많이 함께 보내지 못한 시간을 함께 보내고 있다.

한결같이 알았다고 했고 한결같이 씩씩했던 엄마·아빠가 있기에 지금의 내가 있다. 그렇게 나도 한결같음을 배웠고, 한결같음이 무엇인지 그저 옆에서 보았다. 그저 바라볼 뿐인데도 그 의미를 알았다.

업어 키웠다 하는 이들도 있다. 나만 이런 말을 듣는 것인지 아니면 흔히 듣는 말인지 아직도 잘 모르겠지만, 아무튼 나는 성인이 되고서도 꽤 들어왔고 지금도 종종 듣는다. 키도 몸집도 작은 편이라 때로는 아이 같아 보여서 그런가, 10년 이상 오래

보는 친구들이 많아서 그런가. 나의 오랜 친구들은 30살이 된 나를 보면서도 종종 이런 말을 한다. "아, 내가 너 진짜 업어 키웠다!"

나는 그럴 때마다 "뭘 업어 키워, 난 혼자 컸어" 라고 하지만 내심 기분이 나쁘지 않다. 업어 키웠다고 표현할 만큼 나에게 많은 사랑과 관심을 오래도록 주고 있다는 의미니까. 업어 키우는 건 쉬운 일이 아니다. 아기는 보통 걷기 싫거나 누워서 자기 싫거나, 부모님과 살결이 닿고 싶을 때 업어달라고 조르곤 한다. 업고 있다가 잠깐 내려놓으려 치면 또 우는 건 예삿일이고, 가장 편한 자세에서 조금만 벗어나도 다시 원래의 상태로 안거나 업으라고 떼쓰는 게 아기들의 일상이다. 뭐라 할 것이 안 되는 것이, 그 행동이 사실 아기들의 의무이자 생활인 것이다. 아 그렇다고 내가 그렇게 업어 달라고 한 건 아니다. 나의 의무이자 생활도 아니다. 그런데 내 주변 사람들은 내가 업어달라고 한 적도 없는데 굳이 업어 키웠다고들 한다. 그런 말을 스스럼없이 해주는 친구들을 둬서 그런지, 뭐든 해도 될 것 같다는 어른으로 컸다. 내 인생에 후회란 없고, 이미 일어난 일은 어쩔 수 없으며 돌이킬 수 없다. 그래서 있는 힘껏 대담하려 하고, 있는 힘껏 후회하지 않으려 한다. 흔쾌히 업어주겠다고 하는 친구들이 옆에 있으니까.

수많은 사람에게 업히고 난 다음에 내가 할 수 있는 건 걸음을 내딛는 것이다. 대신 그전까지는 많이 업히면서 있는 힘껏 이해받고 기댄다. 겁없는 내가 항상 이것저것 도전하는 이유는 항상 흰 구름이 옆에 놓여있기 때문이라는 표현을 이전 책에서 쓴 적이 있다. 이들이 꼭 나에게 그런 흰 구름인 것이다. 언제든 넘어져도 흰 구름이 옆에 있어서 다치지 않는 것처럼 언제든 업힐 수 있고, 내내 떼써서 업혀 있겠다고 고집부려도 그저 업어주는 이들. 그래서 마음껏 넘어지면서 무엇이든 할 수 있었다. 업어줄 것만 같은 이들이 늘 지척에 있었다.

업어 키운 이들과 업어 키웠다 하는 이들이 나를 사랑으로 키웠다. 그들의 업는다는 말과 행위가 나를 더 단단하고도 자유롭게 행동하도록 때로는 길잡이가, 때로는 피난처가 되어주었다. 그래서 그 사랑은 뻔할 수가 없다. 에세이를 논할 때 항상 등장하는 빠질 수 없는 주변의 등장인물이 곧 부모님이자 친구이지만, 그래도 그 클리셰는 감히 뻔하다고 할 수 없다. 아낌없이 주는 애정과 관심은 해가 갈

수록 늘 새로우며 날마다 더 나은 사람으로 자라게 한다. 그들 덕분에 내가 조금이라도 더 나은 어른이 되어간다는 것을 알아주면 좋겠다. 사랑 표현에 인색한 나는 이렇게라도 글로나마 티를 내고 싶다. 나도 언제나 업어줄 준비가 되어있다는 것을.

포스트잇을 붙이고 있는 지금

이 글을 쓰면서 생각했다. 난 주변 사람들에게 어떤 인연일까? 그저 흘러가는 시간 중 어쩌다 몇 시간 혹은 며칠을 함께 있었던 사람일까, 같이 있으면 꽤 즐거운 사람일까, 아니면 이 글을 쓰면서 내가 지나간 인연들을 기억하듯 포스트잇을 붙이고 함께 했던 순간을 추억하고 싶은 사람일까. 그리고 생각했다. 그저 그 사람의 순간에 잠깐이라도 남았다면 그 사실만으로 충분하다는 것. 누군가에게 꼭 기억되지 않는다고 하더라도 그 사람의 순간에 그저 순탄하게 다녀간 행인 정도여도 좋겠다. 순탄하게 흘러간 어느 날의 그 기억은 그 사람에게도 일상이자 평온의 기록일 테니, 누군가의 평온의 일부분이 되는 것은 언제나 좋을 일이니까.

어느 누군가에게 꼭 포스트잇 붙일 만한 사람이 되고자 하는 것은 사실 욕심이다. 그저 함께한 그 순간을 충실하게 잘 보내고, 보냈던 그 시간을 잘 흘려보내고 때로는 그 순간을 회상하며 기억하는 것이 그저 내가 할 일이다. 잠깐이든 오랜 기간이든 중요한 건 만남 자체이며 삶의 어느 힘든 지점에서 조금의 위안, 더 조금의 행복이 되었다면 감사할 것이고, 아니더라도 서운해할 필요는 없는 것이다. 나의 모든 삶에 다닥다닥 포스트잇을 붙일 수 없듯이, 내 인연들의 삶에도 그럴 것이니까. 옷깃만 스쳐도 인연이라는데, 스쳐 지나갈 뿐이라도 우리는 같은 시간을 공유했다. 나의 시간에서의 그와, 그의 시간에서의 나는 결코 같을 수는 없겠지만 같은 시간과 공간을 공유했다는 점에서 우리는 인연이다. 그렇다면, 매 시간 매 공간을 공유하는 인연들은 나에게 어떤 의미가 있을까. 그들에게는 포스트잇을 다닥다닥 붙이지도 않는다. 한순간을 펼칠 필요도 없이 촘촘하게 나의 모든 부분을 이루고 있다. 그렇기에 놓치기 쉽고 귀한 순간들이다. 그렇기에 포스트잇을 되도록 많이 붙여보려 한다. 함께 보내는 당연한 시간은 없기에 당연하지 않게 생각해보려 한다.

흘러가는 시간을 단단하게 영글게 해준 인연들에 감사하다. 스쳐 지나가든 혹은 온 시간을 함께 했든 그 모든 인연의 관심과 무관심, 배려와 그 어느 즈음에서 줄타기하며 대화하던 순간들이 나라는 책을 만들었고, 그 경험이 이 챕터를 이루었다. 그래서 이 책은, 책을 읽으면서 나의 또 하나의 챕터가 된 여러분의 또 다른 책이기도 하다. 그리고 읽는 여러분에게도 그랬으면 좋겠다. 이 글을 읽으면서 확장되는 이 세계 또한 여러분의 또 다른 포스트잇을 펼칠 수 있는 매개체가 되기를 바란다. 누군가에게나 마음속 한켠에 고이 남아있고, 기억 저편에 있는 그런 존재를 불러올 수 있는 또 하나의 챕터가 되기를. 그리고 어떤 이에게 포스트잇이 붙여지고 싶은지 한 번쯤 돌이켜보는 솔직한 돌아봄의 시간이 되기를. 그냥 그렇게 바란다.

e-mail*dud0170@naver.com

instagram*booklife_young